MÁRCIA FERNANDES

ANJOS

Como atrair Arcanjos,
fazer as pazes com o Cupido
e se proteger dos Caídos

MÁRCIA FERNANDES

ANJOS

Como atrair Arcanjos, fazer as pazes com o Cupido e se proteger dos Caídos

Texto fixado conforme as regras do acordo ortográfico da Língua Portuguesa (Decreto Legislativo nº 54, de 1995).

Imagem de capa: Pintura do arcanjo Miguel na Basilica di San Marco (Veneza) de Pier Francesco Mola/ iStock

Editor responsável: Guilherme Samora
Editora assistente: Fernanda Belo
Preparação: Lígia Alves
Revisão: Gabriele Fernandes, Adriana Moreira Pedro e Patricia Calheiros
Projeto gráfico e diagramação: Douglas K. Watanabe
Design de capa: Guilherme Francini
Foto da autora: Cauê Moreno
Maquiagem: Andréa Cassolari
Ilustrações: iStock

CIP-BRASIL. CATALOGAÇÃO-NA-FONTE
SINDICATO NACIONAL DOS EDITORES DE LIVROS, RJ

Fernandes, Márcia
Anjos / Márcia Fernandes. – 1ª ed. – São Paulo : Principium, 2019.

ISBN 978-65-80634-19-4

1. Esoterismo. 2. Anjos – Miscelânea. 3. Bem e mal. I. Título.

19-60371 CDD: 133.9
CDU: 133.9

Vanessa Mafra Xavier Salgado – Bibliotecária – CRB-7/6644

1ª edição, 2019 — 1ª reimpressão, 2023

Editora Globo S.A.
Rua Marquês de Pombal, 25
Rio de Janeiro, RJ – 20230-240
www.globolivros.com.br

Dedico este livro a todos aqueles que,
apesar da escuridão,
procuram se conectar com a luz!

Antes de fazer uso de qualquer erva, planta, entre outros recursos para banho, ou produto (atenção às informações do rótulo!), certifique-se de que não é alérgico a nenhum componente citado. Na dúvida, sempre busque orientação médica. Os produtos e procedimentos mencionados neste livro têm fundamento meramente espiritual, portanto, não substituem consultas médicas, psicológicas ou psiquiátricas.

SUMÁRIO

Introdução, 13

Afinal, quem são os Anjos?, 15
Um pouco de história. A visão cultural sobre os Anjos, 17
A diferença entre Anjo e Arcanjo, 21
Quem são os Arcanjos?, 25
  Arcanjo Miguel, 26
  Arcanjo Gabriel, 27
  Arcanjo Rafael, 28
  Arcanjo Samuel, 29
  Arcanjo Saquiel, 30
  Arcanjo Anael, 31
  Arcanjo Cassiel, 32
Os quatro Arcanjos menos difundidos e suas missões, 34
  Haniel, o Arcanjo dos relacionamentos, 34
  Raziel, o Arcanjo da bondade e do autoconhecimento espiritual, 35
  Metatron, o Arcanjo da transmutação e da sabedoria, 36
  Auriel, o Arcanjo da criação, 36
Os Anjos e a Cabala, 38
  1ª Ordem, 39
    1º Coro – Serafins, 39
    2º Coro – Querubins, 41
    3º Coro – Tronos, 42

- 2ª Ordem, 43
  - 4º Coro – Dominações, 43
  - 5º Coro – Potências, 44
  - 6º Coro – Virtudes, 45
- 3ª Ordem, 47
  - 7º Coro – Principados, 47
  - 8º Coro – Arcanjos, 48
  - 9º Coro – Anjos, 49

Quem é o seu Anjo?, 52
- Tabela Cabalística dos Anjos, 52
- Conheça os Anjos que protegem você, 56

Arcanjos e signos, 166
- Áries, 166
- Touro, 167
- Gêmeos, 168
- Câncer, 169
- Leão, 169
- Virgem, 170
- Libra, 171
- Escorpião, 172
- Sagitário, 173
- Capricórnio, 173
- Aquário, 174
- Peixes, 174

Os sete Arcanjos: os planetas e suas características, 176
- Astro Sol – Arcanjo Miguel, 176
- Satélite Lua – Arcanjo Gabriel, 176
- Planeta Mercúrio – Arcanjo Rafael, 177
- Planeta Marte – Arcanjo Samuel, 177
- Planeta Júpiter – Arcanjo Saquiel, 177
- Planeta Vênus – Arcanjo Anael, 178

Planeta Saturno – Arcanjo Cassiel, 178
A conexão espiritual com São Miguel Arcanjo, 179
Os quatro elementos da natureza e os Anjos, 182
Elemento Fogo, 183
Ritual do elemento Fogo, 184
Elemento Água, 184
Ritual do elemento Água, 185
Elemento Ar, 186
Ritual do elemento Ar, 187
Elemento Terra, 188
Ritual do elemento Terra, 189
Anjos nossos, 190
Como atrair os Anjos para nossa vida, 191
Quando pedir ajuda ao seu Anjo da Guarda, 194
Cinco passos para a manifestação do Anjo em sua vida, 195
Podemos afastar os Anjos de nossa vida?, 196
Como estimular a aproximação de um Anjo?, 197
Como chamar seu Anjo da Guarda, 201
Correio Angelical, 201
Doze sinais da presença dos Anjos perto de você, 203
A magia do Anjo da Guarda Restaurador, 205
Atraia somente as boas ações para sua vida, 207
Os Anjos e nossa casa, 211
Como montar um altar sagrado dos Anjos em casa, 212
Anjos e velas, 215
Simbologia das cores das velas, 216
Compreendendo a mensagem das velas, 217
Anos e cores, fragrâncias florais e incensos, 218
Anjos e Alma Gêmea, 220
Quem é nossa Alma Gêmea? 220
É possível ter uma ideia de como será nossa Alma Gêmea? 220

Como será o encontro? 221
Como identificar nossa Alma Gêmea? 221
Como será o relacionamento com nossa Alma Gêmea?, 221
O que devemos fazer para atrair nossa Alma Gêmea?, 222
Mitologia do Anjo Cupido, Querubim do Amor, 223
Oração ao Anjo Cupido, 228
Altar sagrado do Anjo Cupido, 230
Os Anjos nos diferentes momentos do dia, 232
A magia dos Anjos da manhã, 232
A magia dos Anjos do meio-dia, 233
A magia dos Anjos do anoitecer, 234
Nomes de Anjos para bebês e seus significados, 236
Orações do Anjo da Guarda para crianças, 239
As idades mediúnicas e os Anjos, 240
7 anos, 240
12 anos, 240
21 anos, 240
28 anos, 240
45 anos, 241
60 anos, 241
A melhor idade e os Anjos, 242
A espiritualidade dos animais e os Anjos, 244
Será que os animais têm Anjo da Guarda?, 246
Outras dicas, banhos e rituais, 248
Banho para estar mais pertinho de nosso Anjo, 248
Ritual para ancorar São Miguel Arcanjo, 248
Mão Simbólica do Arcanjo São Miguel, 249
Ritual para ancorar seu Arcanjo (49 dias de Luz), 250
Simpatia para conexão com o Anjo da Guarda, 250
Limpeza espiritual dos 21 dias – São Miguel Arcanjo, 251
Portal Angelical, 255

Bolo dos Anjos, 256
Dicas para atrair bons fluidos para sua vida com a ajuda dos Anjos, 258
Aprenda a fazer um Talismã Angelical, 258
Mandala Angelical, 259
A ajuda dos Anjos para o perdão, 261
Preces aos Anjos Guardiões e espíritos protetores por Allan Kardec, 262
Anjos Caídos, 265
Anjo Contrário, 272
O Anjo Contrário no relacionamento amoroso, 273
O Anjo Contrário nos relacionamentos humanos, 273
O Anjo Contrário no ambiente de trabalho, 273
O Anjo Contrário no ambiente familiar, 274
O Anjo Contrário na sua vida pessoal (alma), 274
O Anjo Contrário e os signos, 275
O que fazer para afastar o Anjo Contrário de sua vida?, 275
Anjos Gozadores Cósmicos, 276
Como afastar os Anjos Gozadores de sua vida?, 277
Ritual contra os Anjos Caídos, 278

Posfácio, 279
Agradecimentos, 281
Referências bibliográficas, 282

Nós, médiuns aqui da Terra, muitas vezes temos a missão de trabalhar à noite em lugares sombrios com os umbralinos. Nesses momentos, doutrinamos os espíritos que não querem sair daqui.

Por muitas noites, para cumprir essa missão, faço projeção astral, que é quando me encontro com os samaritanos – almas de um padrão vibratório muito mais elevado da sexta dimensão. Para ter ideia da elevação deles: nós estamos apenas na terceira dimensão. Nessas noites, nos encontramos e fazemos incursões por lugares onde há acúmulo de mortos que não querem ir embora. Que estão apegados a este planeta.

Certa vez, em uma dessas projeções, eu estava em um cemitério com a equipe de samaritanos, trabalhando na evangelização dessas almas. De repente, uma luz tão forte, mas tão forte, invadiu todo o local. A noite parecia dia. Nem conseguíamos abrir os olhos. A luz era de uma força que eu podia senti-la em mim. Esse momento durou segundos. Quando conseguimos abrir os olhos, vimos almas aos montes subindo para aquela luz. Era como se fosse um ímã.

Fiquei estarrecida. A emoção que senti era tão grande que nem consegui falar. Logo depois, assim como veio, aquela luz desapareceu. E um dos samaritanos nos explicou que aquilo havia sido um anjo. Um anjo que estava anos-luz de distância, em cima daquele cemitério, para levar a redenção a todos os mortos que ali estavam. Para que fossem para um lugar melhor, apenas com a força de sua luz.

Certamente, foi um dos momentos mais emocionantes da minha vida. Jamais me esquecerei do meu encontro com a luz de um anjo.

Afinal, quem são os Anjos?

A palavra "Anjo" é de origem latina (*angelus*), derivada do grego (*ággelos*), e significa mensageiro do Céu, mensageiro de Deus, nosso guardião.

Os Anjos são criaturas celestiais dotadas de inteligência, de perfeição, de sensibilidade e de vontade. São seres puramente espirituais e imortais, sem egoísmo, e estão em uma frequência mais elevada que a nossa. Embora não possamos vê-los, nós os sentimos fortemente, e Eles podem nos ver.

A formação dos Anjos é de pura energia, por isso Eles não têm corpo físico e não sofrem influências do ambiente. Podemos afirmar que a imagem dos Anjos é uma criação do homem, pois Eles assumem aquela que lhes convir, qualquer idade, sexo ou outra forma de ser.

Eles são representados com asas para inspirar fácil locomoção e leveza; a auréola em volta da cabeça representa o Divino; algumas vezes possuem mais de um par de asas, conforme sua posição hierárquica; outras vezes têm forma de criança, simbolizando inocência e virtude. São muito belos e brilhantes!

Quando nascemos, já é designado um Anjo da Guarda para nos acompanhar, nos proteger. Para se conectar com Ele, basta pedir ajuda por meio de orações e preces. Nós, seres humanos, somos protegidos e agraciados com o livre-arbítrio, logo, os Anjos podem sim nos proteger de todos os males, mas, para que isso ocorra, é necessário que nós os aceitemos. Uma das missões dos Anjos é ajudar toda a humanidade em seu processo evolutivo.

É verdade que Eles nos ajudam, nos socorrem nos momentos mais difíceis de nossas vidas. Acredite nisso! Os Anjos consagram a pura energia da calma, da serenidade, do amor incondicional, da beleza, da graça, da sabedoria, da força, do perdão, da verdade e da esperança. Eles ensinam, respondem a nossos pedidos, ouvem nossas orações e também nos acompanham no momento da morte.

Diante disso, podemos afirmar que são nossos amigos fiéis, presentes todos os dias, sempre a serviço de Deus e não deles mesmos. Eles equilibram a harmonia do Universo, trazem a mensagem de Deus para a humanidade. Devemos confiar neles plenamente, pois assim estaremos confiando em Deus também. Eles superam todas as criaturas invisíveis!

Minha Oração Especial ao Anjo da Guarda para você:

Anjo da Guarda,
Doce companhia,
Não me desampare
Nem de noite nem de dia!
Com Deus me deito, com Deus me levanto!

Vovó Maria

Um pouco de história.
A visão cultural sobre os Anjos

Os primeiros livros do Antigo Testamento já descreviam os Anjos e suas hierarquias. Eles eram retratados de forma muito parecida com os seres humanos comuns daquela época, porém mais majestosos: apareciam sempre vestidos de peles brancas de cabra (simbolizando sua pureza, luz e santidade).

A menção mais antiga a um Anjo deu-se em Ura, uma antiga cidade do Oriente Médio, há mais de 4 mil anos. As asas e os halos que conhecemos hoje e atribuímos aos Anjos apareceram na arte cristã por volta do reinado do imperador romano Constantino (312 d.C.), que, sendo pagão, converteu-se ao Cristianismo quando viu uma cruz no céu, antes de uma batalha importante.

Sabe-se que em 325 d.C., no Concílio de Niceia, a crença nos Anjos foi considerada um dogma da Igreja. No entanto, em 343 d.C. foi determinado que os reverenciar era idolatria e que os Anjos hebreus eram demoníacos.

Em 787 d.C., no Sétimo Sínodo Ecumênico, definiu-se dogma somente em relação aos Arcanjos: Miguel, Uriel, Gabriel e Rafael.

Ou seja, o tema se manteve controverso durante muito tempo. Afinal, quem eram os Anjos?

No Novo Testamento, Anjos apareceram nos momentos marcantes da vida de Jesus: nascimento, pregações, martírio e "ressurreição". Depois da ascensão, Jesus foi colocado junto ao Anjo Metatron, que é o mais próximo de Deus.

São Tomás de Aquino, que foi um grande estudioso do assunto, dizia que os Anjos são seres Divinos cujos corpos e essências são formados de um tecido da chamada luz astral. Eles se comunicam com os homens por meio da Egrégora, podendo, assim, assumir diversas formas físicas.

Como o mensageiro do Céu, as asas simbolizam a rapidez com que os Anjos viajam; o halo de luz branca simboliza sua origem ou lar: o céu.

Os Anjos eram chamados de DAIMONES pelos gregos, o que significa também Anjos ou seres sobrenaturais. O termo "Daimones", porém, correspondia à palavra "demônio", como entendiam os autores eclesiásticos, e isso os confundia. Além disso, interesses religiosos fizeram de tudo para que essa questão não chegasse ao conhecimento popular, principalmente durante as Cruzadas, quando uma grande quantidade de textos e escrituras foi eliminada em nome de Deus.

Assim, definiu-se que os Anjos, que protegem os seres humanos, são diferentes dos Daimones, que ficam fora do nosso controle. Aqueles são perceptíveis ao nosso conhecimento, mas difíceis de manter contato, ainda que seja possível entrar em sua sintonia.

Assim como nós, humanos, estamos presos à Terra pela Lei da Gravidade e não podemos permanecer flutuando ou mesmo suspensos no céu, os Anjos têm a mesma dificuldade para permanecer conosco aqui na Terra.

O que dá, então, a consistência necessária para sua permanência? É a Luz da nossa aura. Se estamos bem, atraímos e damos energia magnética para sua presença. Porém, quando estamos tristes ou deprimidos, o Anjo não tem o material necessário para atuar, e é nessa hora que Ele busca reforços e material para elevar nossa energia e, assim, evitar que o nosso Anjo Contrário atue em nossa vida.

Agora, vamos aprender um pouco mais sobre os Anjos segundo a visão cultural.

O **Budismo** e o **Hinduísmo** descrevem os Anjos como "seres brilhantes ou autoluminosos". Até dizem que alguns deles comem, bebem e podem construir formas ilusórias de manifestação em planos de existência diferenciados.

O **Judaísmo** e o **Cristianismo** primitivo dividem os Anjos em dois grupos: os fiéis a Deus e os maus (cujo chefe é Iblis ou Ash-Shaytan), privados da graça divina por terem se recusado a prestar homenagens a Adão.

Por outro lado, ainda existe no **Islamismo** uma categoria hierárquica, estando em primeiro lugar os quatro Tronos de Deus: formas de leão, touro, águia e homem. Na sequência, o Querubim e logo após os quatro Arcanjos: Jibril (o revelador), Mikal (o provedor), Izrail (Anjo da morte) e Israfil (Anjo do julgamento).

No **Espiritismo**, doutrina que apresenta a base do Cristianismo, iniciada no século XIX por Allan Kardec, os Anjos seriam "espíritos desencarnados que se comunicam com os vivos, encarnados". Diante dessa explicação, eles são seres angelicais que trazem mensagens do mundo incorpóreo, indicando a comunicação entre vivos e mortos. Essa doutrina ainda define que os Anjos são criaturas perfeitas, a serviço do Altíssimo, capazes de cumprir a vontade de Deus na Criação.

A **Teosofia**, conjunto de conhecimentos que sintetiza Filosofia, Religião e Ciência, admite a existência dos seres angelicais. Veja a seguir o que dizem os estudos de Charles Leadbeater, sacerdote da Igreja Anglicana e bispo da Igreja Católica Liberal, clarividente, escritor, orador, maçom, e de Geoffrey Hodson, escritor, teósofo, filósofo e ocultista.

Charles afirma que os Anjos são um dos muitos reinos da criação Divina, sujeito à evolução, e que existem diferenças em sabedoria, amor, inteligência e poder em relação aos demais integrantes. Eles constituem um reino independente, com seus próprios interesses, metas, e não estão disponíveis apenas em função dos homens, mas também na ministração dos sacramentos das Igrejas, na cura espiritual e corporal da humanidade, na sua inspiração, na coragem, na proteção e, sobretudo, na instrução.

Geoffrey, por sua vez, considera que os Anjos não são uma existência personalizada individual, mas sim uma consciência única central presente em todos os lugares, seres amorosos em sua essência, não dotados de egoísmo, separatividade, desejo, possessividade, ódio, medo, rancor ou revolta.

Esse estudioso ainda divide em seus estudos quatro tipos principais, associados aos elementos da Filosofia antiga: Terra, Água, Fogo e Ar.

Na **Astrologia**, algumas tradições consideram os Anjos "embaixadores" do planeta Terra, sendo os responsáveis pela influência dos planetas na vida do homem. São eles:

Miguel: é o reitor do Sol.
Gabriel: é o reitor da Lua.
Rafael: é o reitor de Mercúrio.
Uriel/Anael: é o reitor de Vênus.
Camael/Samuel: é o reitor de Marte.
Zacariel/Saquiel: é o reitor de Júpiter.
Orifiel/Cassiel: é o reitor de Saturno.
Ituriel: é o reitor de Urano.

A diferença entre Anjo e Arcanjo

Entre o Céu e a Terra existem vários e vários planos! O plano mais próximo do Divino é o Plano Angelical, composto de seres que só conhecem o amor, a caridade. Eles são pontes entre nós e nosso querido Deus!

Por isso, há muita organização no plano espiritual; nem se compara com a organização no plano material. A hierarquia espiritual apresenta funções definidas e programações planejadas. Os Anjos e os Arcanjos estão sujeitos às mesmas leis hierárquicas, mas com desempenhos diferenciados. Confira a seguir.

Os **Anjos** recebem as ordens dos Coros Superiores e as executam. Eles ficam perto da humanidade, convivem conosco e estão a serviço das pessoas. Espíritos puros, criados por Deus, são instrumentos de justiça e misericórdia, mensageiros entre o Céu e a Terra.

Os **Arcanjos** estão no mais alto Coro dos Anjos. Eles são encarregados de transmitir tarefas, dons e responsabilidades aos Anjos. Recebem a luz Divina e tornam essa luz adequada para o uso dos Anjos, qualificando-a corretamente. É o Arcanjo quem sabe qual Anjo está melhor capacitado para assumir e executar determinada tarefa.

Podemos dizer que o Arcanjo não só escolhe o Anjo específico para uma atividade, mas também fornece a luz necessária para sua perfeita atuação. Arcanjo significa "Anjo Principal", isto é, o mais importante, e na hierarquia Divina está acima dos Anjos. Os Arcanjos possuem grandes poderes e trabalham para o bem de todos. Eles transmitem as mensagens Divinas, iluminando os pensamentos de médicos, cientistas, governantes, ambientalistas, ecologistas, guiam comunidades, sociedades, são poderosos guerreiros da paz e podem transformar tudo.

QVIS
VT
DEVS

Quem são os Arcanjos?

O **7** é um número forte, que representa intuição, análise, sabedoria, ideias elevadas, sensibilidade e perfeição. Com esse número, você não correrá riscos desnecessários, não se precipitará na tomada de decisões e evitará os conflitos.

Para ter uma ideia da força desse número, observe estas afirmações relevantes:

- **7 são os principais Arcanjos que fazem parte do nosso Universo.**
- 7 são as maravilhas do mundo.
- 7 são as cores do arco-íris.
- 7 são as notas musicais.
- 7 são os dias da semana.
- 7 são os principais chakras do nosso corpo.
- 7 são as virtudes e os pecados capitais.

Tente acrescentar mais vezes o **7** em sua vida. Às vezes precisamos inovar nossa existência com um número forte e diferente. Aproveite e use o número 7 em seu dia a dia. Pinte o sete de vez em quando, principalmente nos momentos de tristeza.

E você sabe quem são os sete principais Arcanjos? São eles:

- Arcanjo Miguel
- Arcanjo Gabriel

- Arcanjo Rafael
- Arcanjo Samuel
- Arcanjo Saquiel
- Arcanjo Anael
- Arcanjo Cassiel

Arcanjo Miguel

São Miguel Arcanjo representa o príncipe celestial. Seu nome significa "semelhante a Deus", "aquele que é Deus". Comemora-se seu dia em 29 de setembro.

Ele é o protetor da Igreja Católica Romana e é o santo patrono da nação hebraica. Jovem, belo e vigoroso, age sempre com bondade e misericórdia, sendo a luz Divina da transformação, da coragem, da ousadia e da inspiração.

Trabalha incansavelmente a favor da cooperação, da reconciliação, do viver em paz, ajudando a romper as barreiras do mal. Que Divino é São Miguel Arcanjo!

O seu elemento é o Fogo, a purificação. A sua estação do ano é o verão. As suas cores: dourado, vermelho, azul e verde.

O Arcanjo Miguel protege as pessoas do signo de Leão. Os Arcanjos não precisam de luz, e devemos homenageá-los para trazer luz até nós. Eis uma linda oração a São Miguel Arcanjo!

Oração a São Miguel Arcanjo

Ó Glorioso Príncipe do Céu, protetor das almas, eu clamo e invoco a ti para que me livres de todas as adversidades e todo o pecado, fazendo-me progredir no serviço de Deus e conseguindo d'Ele a graça de perseverar até o fim, para que possa gozar a Sua presença eternamente.
São Miguel Arcanjo, protege-nos nos combates.

Cobre-nos com teu escudo protetor e livra-nos das emboscadas e das ciladas do demônio.
São Miguel Arcanjo, Príncipe da Milícia Celeste, subjuga o mal para sempre. Precipita no inferno o satanás e todos os espíritos malignos que andam pelo mundo a perder almas, porque Tu és vitorioso pelos séculos dos séculos.
Amém.

Arcanjo Gabriel

Seu nome em hebraico simboliza GÉBHER e significa "homem de Deus".

O Arcanjo Gabriel é considerado o Arcanjo da Esperança, da Anunciação, da Revelação e é comparado a uma trombeta, porque simboliza a voz de Deus e promove mudanças.

Segundo a tradição, Gabriel e seus Anjos nos ajudam a dar um bom rumo a nossa vida. São os mensageiros das boas notícias, favorecem nossa sabedoria e compreensão. É a Gabriel que recorremos quando necessitamos desses dons.

Você deseja mudanças em sua vida? Então, recorra ao Arcanjo Gabriel!

E onde Ele mora? Diz-se que mora no Paraíso e que está sentado à esquerda de Deus!

Mas o que foi atribuído a Gabriel?

- ELE anunciou à Virgem Maria a sua gravidez.
- ELE ajudou e inspirou Maomé na tradição muçulmana.
- ELE ajudou e inspirou Joana d'Arc a colaborar com o rei da França.

O Arcanjo Gabriel protege as pessoas do signo de Câncer. Leia esta linda oração ao Arcanjo Gabriel!

Oração ao Arcanjo Gabriel

Portador das boas-novas, das mudanças, de sabedoria e de inteligência.
Arcanjo da Anunciação, trazei todos os dias mensagens boas e otimistas.
Fazei com que eu também seja um mensageiro, proferindo somente palavras e atos de bondade e positivismo.
Concedei-me o alcance de meus objetivos.
Que assim seja.

Arcanjo Rafael

O seu nome significa "Deus te cura". Ele é o protetor da saúde, do nosso corpo físico e espiritual, e estabelece o poder de cura. Sua energia é transformadora, conforta a alma das pessoas desesperadas e depressivas, preenchendo-as com tranquilidade, harmonia, amor e virtudes.

O Arcanjo Rafael, pleno de misericórdia, age nas instituições sociais, nos hospitais e em todos os lares que precisem de sua ajuda, irradiando a luz Divina. É também guardião dos talentos criativos que trazem toda a beleza ao planeta Terra.

Ele é citado na Bíblia Sagrada (Antigo Testamento), no Livro de Tobias. O Arcanjo Rafael foi enviado por Deus para curar a cegueira de Tobias e o acompanhou, como seu guardião e guia, numa longa e perigosa viagem para conseguir uma esposa.

Seu símbolo é uma espada ou uma seta, e ele traz um frasco de bálsamo feito de ouro. Sua hora do dia é o amanhecer, sua estação do ano é a primavera e suas cores são todas as de tom azul e verde-claro.

Já que esse Arcanjo é protetor de tudo que é belo em nosso planeta, que tal você criar um espaço de beleza em seu lar, incorporando som e música suaves, aromas, cores e arte? Isso fará um bem danado para sua alma, afastará as energias negativas e atrairá, com certeza, a luz dos Anjos sob a influência de Rafael!

O Arcanjo Rafael protege as pessoas dos signos de Gêmeos e Virgem. Esta é uma linda oração ao Arcanjo Rafael!

Oração ao Arcanjo Rafael

Guardião da saúde e da cura, peço que vossos raios curativos desçam sobre mim, dando-me saúde e cura.
Guardai meus corpos físico e mental, livrando-me de todas as doenças.
Expandi vossa beleza curativa em meu lar, entre meus filhos e familiares, no meu trabalho e para as pessoas com quem convivo diariamente.
Afastai a discórdia e ajudai-me a superar conflitos.
Arcanjo Rafael, transformai a minha alma e o meu ser, para que eu possa sempre refletir a vossa Luz.

Arcanjo Samuel

Samuel é o Arcanjo do amor, da adoração e da dedicação a Deus. A sua infinita misericórdia estende-se a toda a humanidade. Ele é o complemento Divino, representa a caridade e auxilia no desenvolvimento da consciência dos seres humanos, com a finalidade de despertar a gratidão e o amor a nossa fonte Divina, Deus.

Ele presta serviço ao terceiro Raio de Adoração, inspirando cada criatura a reconhecer, alegremente, a própria presença, o "EU SOU". Samuel é um grandioso ser de infinita luz, amor e misericórdia e nos eleva à consciência de louvor e ternura a Deus.

O Arcanjo Samuel diz:

EU SOU o Anjo da Adoração, EU SOU a corporificação do mandamento: "Amarás o Senhor teu Deus de todo o teu coração e de toda a tua alma, e de todo o teu espírito".

E o Bem-Amado Paolo (Paulo Venesiano), que serve Comigo no Terceiro Raio, complementa: "Amarás o teu próximo como a ti mesmo".

O Arcanjo Samuel protege as pessoas dos signos de Áries e Escorpião. Veja agora uma linda oração ao Arcanjo Samuel!

Oração ao Arcanjo Samuel

Arcanjo Samuel, Justiça de Deus pelos raios de Marte,
invoco a tua hoste Divina: chamo por coragem, dignidade e força, para que eu vença o medo de enfrentar as pequenas e grandes questões de minha vida.
Irradia-me coragem, destemor e força em todos os momentos.
Possa eu, contigo, experimentar a fortaleza de Deus. E coisa alguma atingirá a minha alma.
Seja eu contigo em sintonia, agora e para sempre.
Que assim seja.

Arcanjo Saquiel

A influência de Saquiel, Arcanjo de infinita bondade, está ligada fortemente à prosperidade, aos empreendimentos imobiliários e à justiça. O senso de justiça é um ponto forte na missão desse Arcanjo.

Os empresários, de modo geral, devem prestar atenção aos benefícios mútuos dos contratos que firmam com seus empregados. Os chefes e os líderes devem buscar o bem-estar de seus colaboradores. Dessa forma, os bons fluidos desse Arcanjo prevalecerão em contato com todos os envolvidos.

O Arcanjo Saquiel também governa assuntos relacionados ao prestígio social e à fama, à influência do dinheiro, inclusive fruto do trabalho, e desenvolve o sentido da vitória em todas as competições de forma justa, honesta e sábia.

Que tal orar para Ele e agradecer sua prosperidade na saúde e na vida financeira e espiritual?

O Arcanjo Saquiel protege as pessoas dos signos de Sagitário e Peixes. Esta é a linda oração ao Arcanjo Saquiel!

Oração ao Arcanjo Saquiel

Arcanjo Saquiel, Anjo de infinita bondade.
Eis que venho a ti para agradecer-te o grande otimismo que existe em meu coração. Faze com que eu leve sempre aos outros alegria e bem-estar.
Pela tua proteção me tornei um ser abençoado e amável.
Por isso, Saquiel, prolonga meus dias sobre a Terra para que eu possa expressar até o fim de minha vida as palavras de Deus.
Que todos possam perceber em mim os benefícios de tua intercessão.
Amém.

Arcanjo Anael

Anael é o Arcanjo do amor, da harmonia, da beleza, da tolerância e da espiritualidade. Ele promove um ambiente muito tranquilo em torno das pessoas por estabelecer a energia do amor e, ao mesmo tempo, a harmonia nos relacionamentos.

Esse Arcanjo também nos permite controlar e dosar o sentido natural do apego às pessoas e aos bens materiais. Ele nos favorece com a oportunidade de conciliarmos os conflitos no sentido tanto materialista quanto espiritual. À sua volta estão os Anjos do amor e da beleza.

Que tal orarmos para Ele e pedirmos muito amor, paz, harmonia, tolerância e espiritualidade para nossa alma e a de toda nossa família?

O Arcanjo Anael protege as pessoas dos signos de Touro e Libra. Eis a linda oração ao Arcanjo Anael!

Oração ao Arcanjo Anael

Grande Arcanjo, pleno de amor Divino.
Enviai-nos a corrente transbordante de vossa graça e amor, para que sintamos em nossos corações a chama ardente do verdadeiro amor universal, que reflui sobre todos os seres e coisas existentes pela graça de Deus.
Amém.

Arcanjo Cassiel

Cassiel é o Arcanjo do equilíbrio, da paciência, do senso de responsabilidade, tanto no trabalho quanto nos estudos. Ele promove a disciplina.

Você deseja entender por que sofre tanto? Então se ancore em Cassiel, pois Ele protege nossas vidas regressas e nosso entendimento evolutivo da alma!

O Arcanjo Cassiel protege as pessoas dos signos de Capricórnio e Aquário.

Que tal orarmos para Ele e pedirmos o equilíbrio de nossa alma, o senso de responsabilidade e ajuda em nosso progresso espiritual? Esta é uma linda oração ao Arcanjo Cassiel!

Oração ao Arcanjo Cassiel

Arcanjo Cassiel, inspira-me com a tua serenidade.
Ajuda-me a ser receptivo às responsabilidades que a vida me exige. Não te rogo que tires o fardo que devo carregar, mas

te peço que fortaleças os meus ombros, e peso algum será suficiente para me derrubar.
Inspira-me com a tua paciência e não fraquejarei pela ira diante dos obstáculos mais difíceis.
Inspira-me a persistência para atingir todos os objetivos e cumprir fielmente a minha missão terreno-espiritual.
Seja eu contigo em sintonia, agora e para sempre.
Amém.

Os quatro Arcanjos menos difundidos e suas missões

Além dos sete Arcanjos, existem quatro menos difundidos, mas também cheios de luz e amor para com a humanidade.

- Arcanjo Haniel
- Arcanjo Raziel
- Arcanjo Metraton
- Arcanjo Auriel

Haniel, o Arcanjo dos relacionamentos

O seu nome significa "glória ou graça de Deus". Sua missão é inspirar o amor, a beleza, a harmonia, a felicidade e a amizade entre os seres humanos, evitando assim os conflitos afetivos. Ele pode ser chamado como uma força para combater o mal, principalmente quando esse mal é provocado pela falta de amor.

Nossa vida fica bem mais interessante com o ato de amar e ser amado. Para isso, Haniel nos garante alegria, jovialidade, calor humano e uma vida mais bela e Divina.

Ele rege o mês de dezembro. Esta é a oração para você pedir a Ele paz, harmonia e alegria em seus relacionamentos familiares, amorosos, fraternais e profissionais.

Oração ao Arcanjo Haniel

Haniel, Arcanjo amado dos Principados, guardião do amor e da beleza.

Resplandecei em mim a vontade de Deus.
Que a vossa energia me preencha e me complete,
deixando-me em paz e sereno, amando a Deus e evoluindo.
Agradeço, amado Anjo, por conservar-me fiel e amigo.
Leal e companheiro.
Haniel, extensão da luz Divina, fazei-me compreender o amor, a beleza e, principalmente, a ternura dos verdadeiros sentimentos!
Amém.

Raziel, o Arcanjo da bondade e do autoconhecimento espiritual

O seu nome significa "segredo de Deus". Ele representa o Arcanjo dos mistérios, aqueles que encontramos principalmente em nossa busca espiritual.

Ele vive no reino das ideias puras, o reino de Chokmah, orientando as musas para que elas nos inspirem pensamentos originais: conhecimento, sabedoria, bondade e verdade para as nossas vidas.

Faça esta oração para ser sempre inspirado por pensamentos originais e de pura sabedoria.

Oração ao Arcanjo Raziel

Raziel, amado Arcanjo dos Querubins, revelador da verdade e dos pensamentos puros.
Iluminai-me com seus raios de sabedoria, fazei com que meu coração transborde alegria e amor.
Príncipe Raziel, agradeço por, a cada momento, conhecer a verdade, o amor Divino e seguir a luz.
Dai-me forças e coragem, ânimo e otimismo.
Concedei-me o bom êxito.

Sei que sou digno da presença dos Anjos!
Amém.

Metatron, o Arcanjo da transmutação e da sabedoria

Esse é o Arcanjo fruto da transmutação. Ele é considerado o rei dos Anjos, um príncipe Divino, uma ligação entre o humano e o Divino. É o Anjo mais alto do Céu. Metatron mora no sétimo Céu, o lugar de descanso de Deus. Quando é chamado, pode aparecer como um pilar de fogo, até mais brilhante que o próprio Sol.

Faça esta oração para pedir a Metatron sabedoria para vencer as dificuldades e conquistar a prosperidade em sua vida.

Oração ao Arcanjo Metatron

Metatron, Arcanjo dos Serafins, iluminai os meus passos.
Conduzi-me à verdade e me fazei conhecer a luz maior.
Arcanjo celestial, concedei-me a graça, permiti-me ser digno de tua proteção.
Ensinai-me a prosperar, a ser nobre de caráter e a saber amar o Universo!
Ó amado príncipe Metatron, fazei de minha vida uma eterna busca rumo à evolução!
E que minha jornada seja repleta de amor Divino!
Amém.

Auriel, o Arcanjo da criação

É o Anjo da noite e do inverno. Ele cuida do germinar da nossa energia criativa, das nossas ideias, dos nossos pensamentos. Quando estiver sem perspectivas para seu futuro, invoque o Arcanjo Auriel com o propósito de receber sua orientação. Para isso, leia a oração do Arcanjo Auriel e peça a proteção Divina, a felicidade e a alegria de viver.

Oração ao Arcanjo Auriel

Auriel, soberano Arcanjo dos Tronos, ajudai-me a compreender as Leis Divinas regentes no Universo.
E a derrubar, por meio da luz, as muralhas e os obstáculos que possam me atrapalhar.
Agradeço, amado Anjo, por eu ser feliz.
Por entender e aceitar meu verdadeiro caminho.
Fazei-me amar meu semelhante e seguir os passos do Pai Celestial, tornando meu ser um vínculo para a luz eterna!
Amém.

Os Anjos e a Cabala

Os Anjos, como os conhecemos aqui no Ocidente, são referenciados na Bíblia, porém sua origem está na Cabala, mais precisamente na Árvore da Vida.

O que é a Cabala?

"Cabala" – também conhecida como *Kabbalah*, *Qabbala*, *Cabbala*, *Cabbalah*, *Kabala*, *Kabbala* – é uma palavra de origem hebraica que significa recepção ou receber. É um mapa de Deus para a humanidade compreendê-lo. Uma sabedoria puramente mística que por muito tempo foi mantida em segredo para o mundo e considerada um conhecimento secreto. Segundo a tradição, a Cabala foi dada por Deus a Moisés ou pelo Anjo Raziel a Adão, sendo depois transmitida de geração a geração. É um sistema metafísico por meio do qual o iniciado ou buscador conhecerá Deus e o Universo.

É uma sabedoria que investiga a natureza Divina e que contém chaves capazes de levar o humano comum a entender e compreender os segredos do Universo, traduzindo assim os mistérios do coração e da alma humana.

Os ensinamentos trazidos pela Cabala explicam as complexidades do Universo material e imaterial, bem como a natureza física e metafísica de toda a humanidade. Seu propósito é trazer clareza, compreensão e liberdade para nossa vida.

E é nela que encontramos a Árvore da Vida!

A Árvore da Vida é um diagrama que representa a Cabala e todas as forças e fatores atuantes no Universo e na humanidade.

Não existe característica, influência ou energia que não tenha uma representação na Árvore da Vida. O começo de tudo, o fim e os caminhos intermediários, tudo está representado nela. Pode-se, assim, entender o passado, o presente e o futuro nas suas Dez Sefirot (*Sephiroth*) e nos 22 caminhos que as interligam.

Em quase todas as religiões ou tradições mais antigas, fala-se muito em Deuses, seus nomes divinos, seus atributos divinos por meio da manifestação de Arcanjos e Anjos, fazendo uma referência distante e imaterial que é mais facilmente compreendida a partir do estudo da Cabala. As dez *Sefiroth* percorrem a Árvore da Vida de cima para baixo, da mais sutil à mais densa.

Aqui começa a diferenciação de nosso estudo. A palavra hebraica para Anjo é *Malakl*, que significa "mensageiro".

Os estudos falam em 72 Anjos — ou 72 mensageiros de Deus. Esses 72 Anjos são divididos em nove esferas, combinados com nove hierarquias.

Cada uma das Hostes Angelicais possui seu atributo e um Príncipe, que é o regente de cada uma dessas energias emanadas por Deus e cumpre um papel na Criação e em nossas vidas. Ou seja: são oito Anjos em cada esfera, mais o Príncipe para cada uma delas. Somando 72 Anjos, além dos príncipes comandantes.

Começando pelos mais antigos e usando a Bíblia como referência, temos os seguintes Coros Angelicais:

1ª Ordem

1º Coro – Serafins

O termo *seraph* significa "queimar completamente". Segundo a concepção hebraica, o Serafim não é apenas um ser que "queima", mas "que se consome" no amor de nosso Deus Altíssimo. Nas Sagradas Escrituras, os Anjos Serafins aparecem uma única vez, na visão de Isaías (Is 6,1-2).

Príncipe Metatron – "Rei dos Anjos"

1 – Vehuiah
2 – Jeliel
3 – Sitael
4 – Elemiah
5 – Mahasiah
6 – Lelahel
7 – Achaiah
8 – Cahethel

Oração ao Rei dos Anjos – Metatron

Anjo Metatron, luz de todos os Serafins.
Com vossa sublime proteção primordial, ajudai-me na quietude de meu espírito para que eu tenha forças de continuar e vencer, sempre em nome da verdade.
Iluminai-me sempre em todos os meus caminhos.
Anjo Metatron, Príncipe dos Anjos, usai vossa luz Divina e dai-me sorte.
Mantendo-me sempre confiante e com fé em meus ideais.
Eu estarei ao vosso serviço, pois sou digno de vossa proteção.
Anjo Metatron, livrai-me de todas as impurezas que possam me prejudicar.
Peço-vos que meus sentimentos sejam sempre elevados e exaltados!
Príncipe do mundo, eu vos saúdo para que eu tenha uma existência tranquila.
E que minha vida seja assim designada, para trabalhar repleta de amor.
Amém.

2º Coro – Querubins

Sempre foram considerados os guardas e os mensageiros dos Mistérios Divinos, tendo a missão especial de transmitir a Sabedoria Divina por toda a Criação. No princípio, foram colocados pelo Criador para guardar os caminhos da Árvore da Vida (Gn 3,24).

São os Querubins os seres misteriosos que Ezequiel descreve na visão que teve no momento de sua vocação (Ez 10,12). Quando Moisés recebeu as prescrições para a construção da Arca da Aliança onde o Senhor habitou — o trono Divino foi colocado entre os dois Querubins (Ex 25,8-9; 18-19). Nas Sagradas Escrituras, o nome dos Querubins é, com certeza, o mais citado: aparece cerca de oitenta vezes nos diversos livros.

Príncipe Raziel – "Segredo de Deus"

9 – Haziel

10 – Aladiah

11 – Laoviah

12 – Hahahiah

13 – Yesalel

14 – Mebahel

15 – Hariel

16 – Hekamiah

Oração ao Príncipe Raziel

Eu vos saúdo, Príncipe Raziel, guardião da criatividade e das ideias puras, Príncipe dos Querubins.

Dai-me a força para trabalhar, revelar a verdade e encorajar a todos com meus sentimentos mais exaltados de bondade.

Fazei-me um vínculo para as experiências angelicais!

Quero viver com muito amor, coragem e sabedoria.

Que isso seja uma constante na Grande Ordem Celeste!
Iluminai-me para continuar digno e forte, para prestar vossos serviços de pureza.
Dai-me vossa proteção!
Viva a vossa luz!
Amém.

3º Coro – Tronos

Os Tronos acolhem em si toda a Grandeza do Criador e a transmitem para os Anjos que se encontram nas *Sefiroth* inferiores. São também chamados de *Sedes Dei*, a Sede de Deus. São os Anjos que apresentam aos Coros Inferiores o esplendor da Divina Onipotência.

Príncipe Tsaphkiel ou Auriel – "Anjo da Noite"

17 – Lauviah
18 – Caliel
19 – Leuviah
20 – Pahaliah
21 – Nelchael
22 – Ieiaiel
23 – Melahel
24 – Haheuiah

Oração ao Príncipe Tsaphkiel

Tsaphkiel, príncipe dos tronos e chefe dos espíritos soberanos, que estais a serviço das forças do mundo.
Divina força cósmica que Tsaphkiel e seus Tronos constituem, a estrutura da verdade, graça e benefício.
Permiti, Senhor, que me ajude a aprimorar cada vez mais a minha existência.

Permiti que eu tenha paciência na compreensão das leis cármicas e iluminai-me com vossa sabedoria.
Ajudai-me a ser fiel à minha verdade.
E que meu presente seja agradável, fácil e propício para todas as realizações espirituais e materiais.
Não permitais que eu cometa excessos.
Fazei-me, Senhor que cuida do mundo, peça do equilíbrio e da limpeza das forças espirituais.
Guardai-me para que eu possa construir um Universo harmonioso, para que toda existência seja luz.
Que assim seja! Assim se faça!
Amém.

2ª Ordem

4º Coro – Dominações

Estes Anjos representam a alta nobreza celeste. São enviados por Deus para as missões mais relevantes e também são incluídos entre os Anjos que exercem a função de "Ministros de Deus".

São Gregório assim os descreveu: "Algumas fileiras do exército angélico chamam-se Dominações porque os restantes lhes são submissos, lhes são obedientes".

Príncipe Tsadkiel ou Uriel – "Fogo de Deus"

25 – Nith-Haiah
26 – Haaiah
27 – Ierathel
28 – Seheiah
29 – Reyel
30 – Omael
31 – Lecabel
32 – Vasahiah

Oração ao Príncipe Tsadkiel

Tsadkiel, Elohim Divino, da graça que organiza as forças do mundo para melhor fluir com toda a vossa capacidade de energia.

Em vossa eterna regência, vinde a mim.

Para abençoar-me com a verdade, a tolerância e a capacidade de distinguir, avaliar e discernir.

Amado Príncipe Tsadkiel, peço gentilmente vossa clemência para todas as pessoas de bem.

Nunca me deixeis frágil contra meus inimigos.

E que eu possa suportar tudo com dignidade.

Senhor Tsadkiel, bondade, justiça e sublimação.

Que as regras da positivação abençoem meus projetos, agora e sempre.

Amém.

5º Coro – Potências

É o Coro Angélico formado pelos Anjos que têm como missão transmitir aquilo que deve ser feito, tendo muita cautela e atenção especial na maneira como Deus deseja que as coisas sejam feitas. Também são os Anjos Condutores da ordem sagrada. São Anjos da mais alta concentração, alcançando assim um grau elevado de contemplação ao Criador.

Príncipe Camael ou Khamael – "Auxílio ou Força de Deus"

33 – Iehuiah

34 – Lehahiah

35 – Chavakiah

36 – Menadel

37 – Aniel

38 – Haamiah

39 – Rehael

40 – Ieiazel

Oração ao Príncipe Camael

Camael, Príncipe Divino da segurança e da verdade, que trabalhais incansavelmente para que a justiça impere, demandeis por meio da vossa energia qualquer mal que possa atingir-me.

Dai-me forças e coragem necessárias para ajudar todos os que me procuram, sempre de acordo com a vossa vontade, pois sou digno e merecedor da vossa confiança.

Fazei-me um guerreiro lutador contra as injustiças e que todas as tradições e costumes sejam respeitados.

Protegei-me e concedei-me uma vida digna, tranquila e de paz.

Dai-me força e coragem para lutar pela pureza dos sentimentos.

Que minha vida se conserve, assim, agradável e sempre vitoriosa!

Fazei-me sempre um exigente da verdade.

Fazei-me vosso guerreiro da justiça e do amor.

Amém.

6º Coro – Virtudes

São Anjos muito semelhantes aos Anjos do Coro das Potências, pois também transmitem aquilo que deve ser feito pelos outros Anjos, entretanto auxiliam no sentido de que as coisas sejam realizadas de modo perfeito. Assim, são eles que têm a missão de remover os obstáculos que possam interferir no cumprimento perfeito das ordens do Criador. São considerados Anjos fortes e viris.

Príncipe Rafael ou Raphael – "Deus que cura"

41 – Hahahel

42 – Mikael

43 – Veuliah

44 – Yelaiah

45 – Sealiah

46 – Ariel

47 – Asaliah

48 – Mihael

Oração ao Príncipe Rafael

Rafael, Senhor que iluminais meu consciente!

Refletor da verdade de todo o Universo, iluminai minha vida com um pequeno raio de sol proveniente da vossa enorme chama de luz.

Fazei de mim um portador de vossa santidade, transmiti a mim a segurança para curar todos os males materiais ou espirituais, conscientes ou inconscientes.

Dai-me humildade e sabedoria para ajudar todos os que precisam ou sofrem.

Guardai-me contra o orgulho ou a arrogância.

Ó, Príncipe Rafael, fazei-me vossa inspiração, tornando, assim, meu espírito elevado e exaltado acima de todas as coisas.

Livrai-me da ignorância ou mediocridade.

Não permitais que os injustos vençam os justos.

Fazei-me operar vossa vontade, sempre de acordo com a consciência e o elo com Deus.

Ó, Príncipe Rafael, eu agradeço por atender aos meus apelos, sempre pela vitória da luz.

Salve, ó Príncipe Rafael.

Amém.

3ª Ordem

7º Coro – Principados

Estes Anjos são guias dos Mensageiros Divinos. Raramente são enviados para missões modestas. Geralmente são designados para proteger governantes, províncias, dioceses... Têm missões especiais, que causam impacto em muitas pessoas.

Príncipe Haniel – "Glória ou Graça de Deus"

49 – Vehuel
50 – Daniel
51 – Hahasiah
52 – Imamaiah
53 – Nanael
54 – Nithael
55 – Mebahiah
56 – Poiel

Oração ao Príncipe Haniel

Haniel, Divino Elohim, que é cheio de graça.
Trabalhai para que a beleza da Terra seja eterna.
Para que os meus pedidos, a minha vontade sejam alcançados com graça e doçura.
Fazei que, nesta vida, tudo o que é necessário seja utilizado com sabedoria, modéstia e humildade.
Fazei-me nobre de caráter ao falar, ao trabalhar e em toda a minha extensão.
Príncipe Haniel, príncipe do amor, fazei-me otimista e em condições de sempre tomar partido do positivo.
Fazei-me sentir seguro para realizar-me no amor, com toda a força dos Anjos e dos Guardiões Divinos.
Príncipe Haniel, por amor, eu vos saúdo.

Que este amor resplandeça e brilhe no meu ser, no meu lar, em todas as ocasiões e detalhes.
Que eu triunfe perante os obstáculos.
Que vosso grande raio de amor me ilumine como um diamante e me abençoe em todos os segundos de minha existência.
Amém.

8º Coro – Arcanjos

Na ordem tradicional dos Coros Angélicos, os Arcanjos estão situados entre os Principados e os Anjos.

Gabriel também é chamado de Arcanjo, da mesma maneira que Miguel e Rafael são assim denominados pela Igreja.

A respeito de Rafael, no Livro de Tobias, ele mesmo confirma que está diante de Deus: *"Eu sou Rafael, um dos sete Anjos que estão sempre presentes e têm acesso junto à Glória do Senhor"* (Tb 12,15).

Miguel, por sua vez, é citado no Apocalipse como o Arcanjo que liderou todos os Anjos na batalha: *"Houve então uma batalha no céu: Miguel e seus Anjos guerrearam contra o Dragão. E o Dragão lutou, junto com seus Anjos, mas foram derrotados e expulsos do céu. E o enorme Dragão, a antiga serpente, o diabo ou Satanás, como é chamado, o sedutor do mundo inteiro, foi lançado sobre a Terra, e seus Anjos foram lançados junto com ele"* (Ap 12,7-9).

Príncipe Miguel ou Mikael – "Quem é como Deus?"

57 – Nemamiah

58 – Ieialel

59 – Harahel

60 – Mitzrael

61 – Umabel

62 – Iah-Hel

63 – Anauel

64 – Mehiel

Oração ao Príncipe Miguel/Mikael

Miguel/Mikael, que trabalhais para o resplendor da verdade.

Que vossa proteção permaneça comigo.

Eu a receberei como um privilégio, sempre respeitando.

Permiti que eu caminhe sempre com dignidade.

Afastai de mim as ideias perversas.

Fazei de mim um amigo que saiba discernir, compreender e nunca julgar.

Ajudai-me contra meus inimigos materiais e espirituais, conscientes ou inconscientes, e os expulse.

Pois a verdade é vosso signo.

Permiti que minha intuição seja como vossa espada para dar-me proteção.

Afastai de mim as pessoas que querem me induzir ao erro.

Meu coração está ligado ao vosso coração e à vossa energia, que são a minha verdade.

Fazei de mim um mensageiro fiel da suprema verdade.

Salve, adorado Príncipe Miguel/Mikael!

Amém.

9º Coro – Anjos

São os Anjos que recebem diretamente as ordens dos Coros superiores e as executam. São eles os que estão mais perto da humanidade, convivendo conosco e prestando um serviço constante e silencioso.

"Eis que envio um Anjo diante de ti, para que te guarde pelo caminho e te conduza ao lugar que tenho preparado para ti. Respeita a

presença e observa a sua voz, e não lhes seja rebelde, porque não perdoará a vossa transgressão, pois nele está o Meu Nome. Mas se escutares fielmente a sua voz e fizeres o que te disser, então, serei inimigo dos teus inimigos e adversário dos teus adversários" (Ex 23,20-22).

Príncipe Gabriel – "Homem forte de Deus"

65 – Damabiah
66 – Manakel
67 – Ayel
68 – Habuhiah
69 – Rochel
70 – Yabamiah
71 – Haiaiel
72 – Mumiah

Oração ao Príncipe Gabriel

Gabriel, Príncipe e Senhor da visão do mundo!
Fazei com que todos os sentidos do meu organismo sejam sempre um espelho da lei universal de Deus.
Intercedei por meio de meu Anjo Guardião.
Que meu pedido dirija-se ao astral da mesma forma que fizestes a anunciação para Nossa Senhora.
Gabriel, Príncipe Divino, eu vos saúdo.
Transmutador da natureza, fazei com que meu corpo e espírito acumulem a luz de vossa sabedoria.
Fazei-me um ser invisível contra todos os meus inimigos, a violência ou o perigo.
Príncipe Gabriel, fazei com que vossas forças dissolvam os plasmas negativos do meu corpo e da minha família por luzes cristalinas.
Transmutai todo o ódio em amor elevado.

Fazei de mim um intérprete das vossas intenções.
Salve, ó amado Príncipe Gabriel!
Amém.

Os cabalistas exprimem o nome de Deus como **Jehovah**: esse nome é tão bendito que ninguém sabe qual é a sua verdadeira pronúncia e, mesmo se soubesse, jamais poderia pronunciá-lo.

A partir do nome sagrado de DEUS, criou-se um sistema no qual encontraremos os 72 Anjos Cabalísticos, que substituem a invocação do nome bendito. É como se cada Anjo representasse uma parte de Deus.

Essa ideia está presente também no Novo Testamento. Jesus, além dos doze Apóstolos, escolheu outros 72 discípulos, que foram enviados a todas as partes do mundo para anunciar a palavra de Deus às nações.

Quem é o seu Anjo?

Já aprendemos que todos os Anjos se agrupam em Coros e Ordens, formando assim a Hierarquia Angelical, em que se posicionam conforme o trabalho a ser desenvolvido diante dos desígnios de Deus.

Na tabela a seguir você poderá conhecer seu Anjo Protetor, aquele que foi designado para cuidar da sua evolução nesta encarnação, e também aqueles com os quais sua Alma tem mais afinidade para ajudá-lo a resolver eventuais problemas em sua existência terrena, em seu dia a dia.

Tabela Cabalística dos Anjos

Anjo Protetor	Data de nascimento	Hora favorável	Salmo	Dia da semana	Vela
1 – VEHUIAH	6 jan. – 20 mar. – 1 jun. – 13 ago. – 25 out.	Da 00:00 à 00:20	3	Sexta-feira	Amarela
2 – JELIEL	7 jan. – 21 mar. – 2 jun. – 14 ago. – 26 out.	Da 00:20 à 00:40	21	Sexta-feira	Branca
3 – SITAEL	8 jan. – 22 mar. – 3 jun. – 15 ago. – 27 out.	Da 00:40 à 01:00	90	Segunda-feira	Amarela
4 – ELEMIAH	9 jan. – 23 mar. – 4 jun. – 16 ago. – 28 out.	Da 01:00 à 01:20	6	Segunda-feira	Amarela
5 – MAHASIAH	10 jan. – 24 mar. – 5 jun. – 17 ago. – 29 out.	Da 01:20 à 01:40	33	Sexta-feira	Branca
6 – LELAHEL	11 jan. – 25 mar. – 6 jun. – 18 ago. – 30 out.	Da 01:40 às 02:00	9	Domingo	Lilás

7 – ACHAIAH	12 jan. – 26 mar. – 7 jun. – 19 ago. – 31 out.	Das 02:00 às 02:20	102	Sexta-feira	Amarela
8 – CAHETHEL	13 jan. – 27 mar. – 8 jun. – 20 ago. – 1 nov.	Das 02:20 às 02:40	94/95	Quinta-feira	Branca
9 – HAZIEL	14 jan. – 28 mar. – 9 jun. – 21 ago. – 2 nov.	Das 02:40 às 03:00	24	Quarta-feira	Branca
10 – ALADIAH	15 jan. – 29 mar. – 10 jun. – 22 ago. – 3 nov.	Das 03:00 às 03:20	32	Segunda-feira	Verde
11 – LAOVIAH	16 jan. – 30 mar. – 11 jun. – 23 ago. – 4 nov.	Das 03:20 às 03:40	17	Terça-feira	Branca
12 – HAHAHIAH	17 jan. – 31 mar. – 12 jun. – 24 ago. – 5 nov.	Das 03:40 às 04:00	9	Domingo	Lilás
13 – YESALEL	18 jan. – 1 abr. – 13 jun. – 25 ago. – 6 nov.	Das 04:00 às 04:20	97	Sábado	Rosa
14 – MEBAHEL	19 jan. – 2 abr. – 14 jun. – 26 ago. – 7 nov.	Das 04:20 às 04:40	9	Domingo	Lilás
15 – HARIEL	20 jan. – 3 abr. – 15 jun. – 27 ago. – 8 nov.	Das 04:40 às 05:00	93	Sexta-feira	Branca
16 – HEKAMIAH	21 jan. – 4 abr. – 16 jun. – 28 ago. – 9 nov.	Das 05:00 às 05:20	87	Terça-feira	Azul
17 – LAUVIAH	22 jan. – 5 abr. – 17 jun. – 29 ago. – 10 nov.	Das 05:20 às 05:40	8	Domingo	Verde
18 – CALIEL	23 jan. – 6 abr. – 18 jun. – 30 ago. – 11 nov.	Das 05:40 às 06:00	7	Segunda-feira	Azul
19 – LEUVIAH	24 jan. – 7 abr. – 19 jun. – 31 ago. – 12 nov.	Das 06:00 às 06:20	39	Domingo	Amarela
20 – PAHALIAH	25 jan. – 8 abr. – 20 jun. – 1 set. – 13 nov.	Das 06:20 às 06:40	119	Quinta-feira	Branca
21 – NELCHAEL	26 jan. – 9 abr. – 21 jun. – 2 set. – 14 nov.	Das 06:40 às 07:00	30	Segunda-feira	Lilás
22 – IEIAIEL	27 jan. – 10 abr. – 22 jun. – 3 set. – 15 nov.	Das 07:00 às 07:20	120	Segunda-feira	Branca
23 – MELAHEL	28 jan. – 11 abr. – 23 jun. – 4 set. – 16 nov.	Das 07:20 às 07:40	120	Segunda-feira	Branca
24 – HAHEUIAH	29 jan. – 12 abr. – 24 jun. – 5 set. – 17 nov.	Das 07:40 às 08:00	32	Segunda-feira	Verde

25 – NITH-HAIAH	30 jan. – 13 abr. – 25 jun. – 6 set. – 18 nov.	Das 08:00 às 08:20	9	Domingo	Lilás
26 – HAAIAH	31 jan. – 14 abr. – 26 jun. – 7 set. – 19 nov.	Das 08:20 às 08:40	118	Sábado	Branca
27 – IERATHEL	1 fev. – 15 abr. – 27 jun. – 8 set. – 20 nov.	Das 08:40 às 09:00	139	Quarta--feira	Amarela
28 – SEHEIAH	2 fev. – 16 abr. – 28 jun. – 9 set. – 21 nov.	Das 09:00 às 09:20	70	Quinta--feira	Verde
29 – REYEL	3 fev. – 17 abr. – 29 jun. – 10 set. – 22 nov.	Das 09:20 às 09:40	53	Quarta--feira	Azul
30 – OMAEL	4 fev. – 18 abr. – 30 jun. – 11 set. – 23 nov.	Das 09:40 às 10:00	70	Quinta--feira	Verde
31 – LECABEL	5 fev. – 19 abr. – 1 jul. – 12 set. – 24 nov.	Das 10:00 às 10:20	70	Quinta--feira	Verde
32 – VASAHIAH	6 fev. – 20 abr. – 2 jul. – 13 set. – 25 nov.	Das 10:20 às 10:40	32	Segunda--feira	Verde
33 – IEHUIAH	7 fev. – 21 abr. – 3 jul. – 14 set. – 26 nov.	Das 10:40 às 11:00	33	Sexta-feira	Branca
34 – LEHAHIAH	8 fev. – 22 abr. – 4 jul. – 15 set. – 27 nov.	Das 11:00 às 11:20	130	Sexta-feira	Verde
35 – CHAVAKIAH	9 fev. – 23 abr. – 5 jul. – 16 set. – 28 nov.	Das 11:20 às 11:40	114	Domingo	Branca
36 – MENADEL	10 fev. – 24 abr. – 6 jul. – 17 set. – 29 nov.	Das 11:40 ao 12:00	25	Quarta--feira	Azul
37 – ANIEL	11 fev. – 25 abr. – 7 jul. – 18 set. – 30 nov.	Do 12:00 ao 12:20	79	Quinta--feira	Amarela
38 – HAAMIAH	12 fev. – 26 abr. – 8 jul. – 19 set. – 1 dez.	Do 12:20 ao 12:40	90	Segunda--feira	Amarela
39 – REHAEL	13 fev. – 27 abr. – 9 jul. – 20 set. – 2 dez.	Do 12:40 às 13:00	29	Quinta--feira	Rosa
40 – IEIAZEL	14 fev. – 28 abr. – 10 jul. – 21 set. – 3 dez.	Das 13:00 às 13:20	87	Terça-feira	Azul
41 – HAHAHEL	15 fev. – 29 abr. – 11 jul. – 22 set. – 4 dez.	Das 13:20 às 13:40	119	Quinta--feira	Branca
42 – MIKAEL	16 fev. – 30 abr. – 12 jul. – 23 set. – 5 dez.	Das 13:40 às 14:00	120	Segunda--feira	Branca

43 – VEULIAH	17 fev. – 1 maio – 13 jul. – 24 set. – 6 dez.	Das 14:00 às 14:20	87	Terça-feira	Azul
44 – YELAIAH	18 fev. – 2 maio – 14 jul. – 25 set. – 7 dez.	Das 14:20 às 14:40	118	Sábado	Branca
45 – SEALIAH	19 fev. – 3 maio – 15 jul. – 26 set. – 8 dez.	Das 14:40 às 15:00	93	Sexta-feira	Branca
46 – ARIEL	20 fev. – 4 maio – 16 jul. – 27 set. – 9 dez.	Das 15:00 às 15:20	144	Terça-feira	Branca
47 – ASALIAH	21 fev. – 5 maio – 17 jul. – 28 set. – 10 dez.	Das 15:20 às 15:40	103/ 104	Sexta-feira	Branca
48 – MIHAEL	22 fev. – 6 maio – 18 jul. – 29 set. – 11 dez.	Das 15:40 às 16:00	97	Sábado	Rosa
49 – VEHUEL	23 fev. – 7 maio – 19 jul. – 30 set. – 12 dez.	Das 16:00 às 16:20	144	Terça-feira	Branca
50 – DANIEL	24 fev. – 8 maio – 20 jul. – 1 out. – 13 dez.	Das 16:20 às 16:40	102	Sexta-feira	Amarela
51 – HAHASIAH	25 fev. – 9 maio – 21 jul. – 2 out. – 14 dez.	Das 16:40 às 17:00	103	Sábado	Rosa
52 – IMAMAIAH	26 fev. – 10 maio – 22 jul. – 3 out. – 15 dez.	Das 17:00 às 17:20	7	Segunda-feira	Rosa
53 – NANAEL	27 fev. – 11 maio – 23 jul. – 4 out. – 16 dez.	Das 17:20 às 17:40	118	Sábado	Branca
54 – NITHAEL	28/29 fev. – 12 maio – 24 jul. – 5 out. – 17 dez.	Das 17:40 às 18:00	102	Sexta-feira	Amarela
55 – MEBAHIAH	1 mar. – 13 maio – 25 jul. – 6 out. – 18 dez.	Das 18:00 às 18:20	101	Sábado	Rosa
56 – POIEL	2 mar. – 14 maio – 26 jul. – 7 out. – 19 dez.	Das 18:20 às 18:40	144	Terça-feira	Branca
57 – NEMAMIAH	3 mar. – 15 maio – 27 jul. – 8 out. – 20 dez.	Das 18:40 às 19:00	113	Sábado	Verde
58 – IEIALEL	4 mar. – 16 maio – 28 jul. – 9 out. – 21 dez.	Das 19:00 às 19:20	6	Segunda-feira	Amarela
59 – HARAHEL	5 mar. – 17 maio – 29 jul. – 10 out. – 22 dez.	Das 19:20 às 19:40	112	Sábado	Verde
60 – MITZRAEL	6 mar. – 18 maio – 30 jul. – 11 out. – 23 dez.	Das 19:40 às 20:00	144	Terça-feira	Branca

61 – UMABEL	7 mar. – 19 maio – 31 jul. – 12 out. – 24 dez.	Das 20:00 às 20:20	112	Sábado	Verde
62 – IAH-HEL	8 mar. – 20 maio – 1 ago. – 13 out. – 25 dez.	Das 20:20 às 20:40	118	Sábado	Branca
63 – ANAUEL	9 mar. – 21 maio – 2 ago. – 14 out. – 26 dez.	Das 20:40 às 21:00	2	Terça-feira	Azul
64 – MEHIEL	10 mar. – 22 maio – 3 ago. – 15 out. – 27 dez.	Das 21:00 às 21:20	32	Segunda-feira	Verde
65 – DAMABIAH	11 mar. – 23 maio – 4 ago. – 16 out. – 28 dez.	Das 21:20 às 21:40	89	Sábado	Azul
66 – MANAKEL	12 mar. – 24 maio – 5 ago. – 17 out. – 29 dez.	Das 21:40 às 22:00	37	Quarta-feira	Branca
67 – AYEL	13 mar. – 25 maio – 6 ago. – 18 out. – 30 dez.	Das 22:00 às 22:20	36	Quarta-feira	Branca
68 – HABUHIAH	14 mar. – 26 maio – 7 ago. –19 out. – 31 dez.	Das 22:20 às 22:40	105	Sexta-feira	Verde
69 – ROCHEL	1 jan. – 15 mar. – 27 maio – 8 ago. – 20 out.	Das 22:40 às 23:00	15	Segunda-feira	Amarela
70 – YABAMIAH	2 jan. – 16 mar. – 28 maio – 9 ago. – 21 out.	Das 23:00 às 23:20	1/91	Sexta-feira	Lilás
71 – HAIAIEL	3 jan. – 17 mar. – 29 maio – 10 ago. – 22 out.	Das 23:20 às 23:40	108	Terça-feira	Branca
72 – MUMIAH	4 jan. – 18 mar. – 30 maio – 11 ago. – 23 out.	Das 23:40 à 00:00	114	Domingo	Branca
*** ANJOS DA HUMANIDADE	5 jan. – 19 mar. – 31 maio – 12 ago. – 24 out.	–	91/150	–	–

Conheça os Anjos que protegem você

1 – VEHUIAH

Significado: Deus elevado e exaltado acima de todas as coisas.

Hora favorável: da 00:00 à 00:20.

Data de nascimento: 06/01 – 20/03 – 01/06 – 13/08 – 25/10.

Salmo: 3.

Características: espírito sutil, de grande sagacidade, apaixonado pelas artes, é capaz de executar tarefas das mais difíceis. Tem como característica principal a energia.
Gênio contrário: influi nas pessoas de temperamento turbulento e colérico.
Carreira profissional: dotado de espírito criativo, inventivo, habilidoso, apresenta facilidade para escrever, criar. Tem comunicação e expressão aguçada. Com inclinação à área das ciências, artes e política, considera cada momento da vida um aprendizado. Tem o poder de se relacionar com pessoas influentes. Faça seu pedido ao Anjo Vehuiah para que Ele ilumine sua alma com a magia da autoestima, do carisma e eleve seu poder criativo, além de fazê-lo se expressar e escrever bem.
Categoria: Serafins.
Príncipe: Metatron.
Número de sorte: 8.
Mês de mudança: agosto.
Exerce domínio sobre: Israel.
Planeta: Marte.
Hortaliça: alface – calmante.
Fruta: cidra – vermífuga.
Erva medicinal: alecrim – tônica.
Cereal: aveia – energético.
Vela: amarela.
Metal: ouro.
Mineral: citrino.
Saúde: doenças do sistema cardiovascular, hipertensão, stress e ansiedade.
Essências: camomila, flor de laranjeira, lavanda.
Dia da semana: sexta-feira.
Chamado para: empreender e executar as coisas mais difíceis.

Invocação:
Vehuiah, aumenta em mim tuas virtudes,
Faze que eu seja aquele que, por tua graça,
Conduz os homens à Divindade.
Livra-me da raiva e da turbulência.
Transmite-me tua sagacidade e sutileza,
A fim de que ouça a voz de Deus,
E possa contemplar, um dia, o teu rosto sublime.

2 – JELIEL

Significado: Deus criativo.
Hora favorável: da 00:20 à 00:40.
Data de nascimento: 07/01 – 21/03 – 02/06 – 14/08 – 26/10.
Salmo: 21.
Características: acalma revoltas populares, restabelece a paz e a fidelidade conjugal. São pessoas agradáveis, galantes e apaixonadas pelo sexo. Este Anjo nos concede ideias claras e brilhantes e nos ajuda a descobrir a verdade por meio da razão.
Gênio contrário: influi naqueles que são prejudiciais aos seres vivos, que têm satisfação em desunir os casais.
Carreira profissional: a fala e a escrita estão presentes em sua vida profissional, com predominância nas áreas de estética, poesia e em cargos de diretoria e gerência. Faça seu pedido ao Anjo Jeliel para que Ele lhe inspire ideias inovadoras em sua expressão tanto oral quanto escrita. Você brilhará em todos os sentidos.
Categoria: Serafins.
Príncipe: Metatron.
Número de sorte: 9.
Mês de mudança: setembro.
Exerce domínio sobre: Turquia.
Planeta: Júpiter.

Hortaliça: hortelã-pimenta – expectorante.
Fruta: coco – nutriente.
Erva medicinal: confrei – cicatrizante.
Cereal: aveia – calmante.
Vela: branca.
Metal: magnésio.
Mineral: água-marinha.
Saúde: doenças relativas ao aparelho respiratório, como bronquite e asma.
Essências: limão, hortelã e benjoim.
Dia da semana: sexta-feira.
Chamado para: acalmar revoltas populares.
Invocação:
Jeliel, ajuda-me a levar luz aonde reinam trevas...
Guarda minha inteligência dos interesses materiais,
Para que eu seja sempre, graças a ti,
Aquele que age desinteressadamente.
Que a razão sempre comande meus sentimentos.
Em todos os lugares e momentos, Senhor Jeliel,
Que eu seja um homem puro.

3 – SITAEL
Significado: Deus, esperança de todas as criaturas.
Hora favorável: da 00:40 à 01:00.
Data de nascimento: 08/01 – 22/03 – 03/06 – 15/08 – 27/10.
Salmo: 90.
Características: dá a graça de sermos fiéis aos nossos compromissos e faz nascer em nossos corações gratidão por aqueles que nos auxiliam. As pessoas sob sua influência são amantes da verdade.
Gênio contrário: hipocrisia, ingratidão e perjúrio.
Carreira profissional: o espírito de liderança corre nas suas veias, portanto cargos na área de administração, diretoria e chefia estão presentes na

sua caminhada existencial. Faça seu pedido ao Anjo Sitael para iluminar seus caminhos com a virtude da paciência, do amor em sua alma e para atuar na vida com prudência em suas atitudes.
Categoria: Serafins.
Príncipe: Metatron.
Número de sorte: 11.
Mês de mudança: novembro.
Exerce domínio sobre: Caldeia (Iraque).
Astro: Sol.
Hortaliça: manjericão – estômago.
Fruta: ameixa – laxante.
Erva medicinal: espinheira-santa – diurética.
Cereal: arroz – energético.
Vela: amarela.
Metal: ouro.
Mineral: ágata.
Saúde: obesidade, alimentar-se com moderação.
Essências: gerânio, cipreste, patchuli (obesidade).
Dia da semana: segunda-feira.
Chamado para: todas as adversidades.
Invocação:
Sitael, faze de mim um homem fiel:
Fiel a Deus, fiel aos homens.
Que eu seja equilibrado em minhas decisões.
Não me deixes cair na tentação
De não escolher o melhor caminho.
Que a todo momento e lugar,
Permita-me, Senhor Sitael,
Eu leve a esperança.

4 – ELEMIAH

Significado: Deus oculto.

Hora favorável: da 01:00 à 01:20.

Data de nascimento: 09/01 – 23/03 – 04/06 – 16/08 – 28/10.

Salmo: 6.

Características: ajuda a descobrir a melhor profissão, ilumina-nos para que não persistamos no erro, dá-nos a humildade para não guardarmos rancores.

Gênio contrário: falta de educação. Colocará obstáculos em todos os empreendimentos.

Carreira profissional: espírito empreendedor aguçado, predominância na área do petróleo e outros minerais. Capacidade de invenção, criação e inovação em tecnologia muito presente na essência. Funções na área policial e de segurança também são bastante favoráveis. Faça seu pedido ao Anjo Elemiah para que Ele ilumine sua alma com as virtudes da modéstia, simplicidade e autoconfiança.

Categoria: Serafins.

Príncipe: Metatron.

Número de sorte: 11.

Mês de mudança: novembro.

Exerce domínio sobre: Arábia.

Planeta: Mercúrio.

Hortaliça: gengibre – tônica.

Fruta: damasco – faringite, amigdalite (para fazer gargarejos).

Erva medicinal: agrião – expectorante.

Cereal: centeio – energético.

Vela: amarela.

Metal: ouro.

Mineral: olho-de-tigre.

Saúde: os pulmões podem ser prejudicados pela nicotina.

Essências: manjerona, hortelã e sândalo (catarro).

Dia da semana: segunda-feira.

Chamado para: reconsiderar seus atos.

Invocação:

Elemiah, ó tu que te escondes
Na turbulência do nosso dia a dia,
Ajuda-me a viver sem ambição.
Permite-me ser capaz de encontrar
E de compreender tua face oculta,
Assim meu imenso amor se acercará de ti.

5 – MAHASIAH

Significado: Deus salvador.

Hora favorável: da 01:20 à 1:40.

Data de nascimento: 10/01 – 24/03 – 05/06 – 17/08 – 29/10.

Salmo: 33.

Características: invoca-se esse Anjo para viver em paz com todos, ter conhecimento das altas ciências e grande força moral. Quem conta com sua proteção aprende tudo com facilidade, tem caráter e é honesto.

Gênio contrário: traz a ignorância e a libertinagem.

Carreira profissional: êxito na área de artes plásticas, pintura, artesanato, utilizando-se de seu poder de criação e invenção, além da aguçada aptidão para as artes em geral. Faça seu pedido ao Anjo Mahasiah para que Ele ilumine sua alma com ideias inovadoras e o mantenha sempre conectado com a beleza universal.

Categoria: Serafins.

Príncipe: Metatron.

Número de sorte: 12.

Mês de mudança: dezembro.

Exerce domínio sobre: Egito.

Planeta: Vênus.

Hortaliça: espinafre – vitamínica (ferro).
Fruta: lima – vitamínica (ferro).
Erva medicinal: alecrim – tônica.
Cereal: trigo – nutriente.
Vela: branca.
Metal: cobre.
Mineral: quartzo rosa.
Saúde: doenças cármicas, problemas de visão, rins, enxaqueca e cáries.
Essências: camomila (assepsia dos dentes), lavanda (enxaqueca) e alecrim (vista cansada).
Dia da semana: sexta-feira.
Chamado para: viver em paz e harmonia.
Invocação:
Mahasiah, não permitas que as virtudes
Que puseste em minha alma
Sejam empecilhos para o meu desenvolvimento.
Ajuda-me a não esmorecer diante das dificuldades.
Que a riqueza e a força da experiência,
Adquiridas na vida, se espalhem por toda a minha alma.
Senhor, aponta-me o lugar em que possa dar
O testemunho de tudo o que representas.

6 – LELAHEL

Significado: Deus louvável.
Hora favorável: 01:40 às 02:00.
Data de nascimento: 11/01 – 25/03 – 06/06 – 18/08 – 30/10.
Salmo: 9.
Características: protege as ciências, as artes, a fama e a fortuna, ajudando-nos a não ter ambição exagerada e a não utilizar o poder para fins ilícitos.
Gênio contrário: procurará adquirir fortuna por meios ilícitos.

Carreira profissional: tendência predominante à área da medicina convencional e alternativa e da terapia holística, tais como astrologia, numerologia, artes, interpretação e literatura. Faça seu pedido ao Anjo Lelahel para que Ele ilumine seus caminhos com muita fé, sabedoria intelectual e espiritual, sensibilidade e empatia.
Categoria: Serafins.
Príncipe: Metatron.
Número de sorte: 6.
Mês de mudança: junho.
Exerce domínio sobre: Etiópia.
Astro: Sol.
Hortaliça: couve – úlcera, colite.
Fruta: amêndoa – hiperacidez gástrica.
Erva medicinal: artemísia – afecções gástricas e flatulência.
Cereal: arroz – gastroenterite.
Vela: lilás.
Metal: ouro.
Mineral: ametista.
Saúde: aparelho digestivo.
Essências: erva-doce, rosa e bergamota (aparelho digestivo).
Dia da semana: domingo.
Chamado para: cura de qualquer enfermidade.
Invocação:
Lelahel, eu te dou graças
Por este caminho que me apontas.
Que eu possa partilhar com o próximo
A grandeza dos bens que me ofereces.
Que eu seja lembrado pelas obras de filantropia,
Generosidade e altruísmo.
Que eu saiba sempre encontrar soluções favoráveis a todos.
Senhor Lelahel, inspira em mim
O amor e a ciência de Deus.

7 – ACHAIAH

Significado: Deus bom e paciente.

Hora favorável: 02:00 às 02:20.

Data de nascimento: 12/01 – 26/03 – 07/06 – 19/08 – 31/10.

Salmo: 102.

Características: governa a paciência e a propagação de ideias, dando-nos sucesso em situações difíceis e na luta contra a preguiça.

Gênio contrário: inimigo da razão, dominado pela preguiça e negligência nos estudos.

Carreira profissional: sucesso na área de cinema, televisão, edição de vídeos, filmes e tecnologia direcionada às artes. Faça seu pedido ao Anjo Achaiah para que Ele conduza sua alma com a magia da criatividade, da comunicação e expressão aguçada e da sensibilidade nas ideias tecnológicas.

Categoria: Serafins.

Príncipe: Metatron.

Número de sorte: 10.

Mês de mudança: outubro.

Exerce domínio sobre: Armênia.

Planeta: Mercúrio.

Hortaliça: inhame – mineralizante.

Fruta: graviola – adstringente.

Erva medicinal: açafrão – sedativa.

Cereal: lentilha – nutriente.

Vela: amarela.

Metal: prata.

Mineral: hematita.

Saúde: sistema nervoso.

Essências: cipreste, flor de laranjeira, lavanda (contra irritabilidade).

Dia da semana: sexta-feira.

Chamado para: ter paciência.

Invocação:

Achaiah, tu me ofereces
O difícil trabalho de te encontrar nas menores coisas.
Permite então, Senhor, que minha inteligência
Não se disperse nas ilusões materiais,
Que eu não me separe de ti,
Para saber sempre distinguir
A essência escondida nesta vida efêmera.

8 – CAHETHEL

Significado: Deus adorável.

Hora favorável: das 02:20 às 02:40.

Data de nascimento: 13/01 – 27/03 – 08/06 – 20/08 – 01/11.

Salmos: 94/95.

Características: domina as produções agrícolas e inspira os homens a se elevarem a Deus em gratidão. Seus protegidos têm facilidade de expressão e obtêm sucesso em tudo o que fazem.

Gênio contrário: blasfêmia. Prejudicarão os produtos agrícolas.

Carreira profissional: êxito na área de agronomia, comércio de produtos agrícolas, medicina veterinária, propriedade de terras, medicina alternativa com plantas e aromaterapia. Faça seu pedido ao Anjo Cahethel para que Ele ilumine sua alma na conquista de seu próprio espaço profissional e para que você atue com competência e sensibilidade espiritual. Ele vai ajudá-lo a defender suas ideias com sucesso.

Categoria: Serafins.

Príncipe: Metatron.

Número de sorte: 6.

Mês de mudança: junho.

Exerce domínio sobre: Geórgia.

Planeta: Saturno.

Hortaliça: mandioca – artrite e edemas reumáticos.

Fruta: abacate – estomatite, gengivite e náuseas.

Erva medicinal: alfavaca – amigdalite, estomatite, gengivite, faringite e aftas.

Cereal: ervilha – vitamínico.

Vela: branca.

Metal: zinco.

Mineral: pedra da lua.

Saúde: garganta, estômago e pés (sensibilidade).

Essências: limão (garganta), hortelã (estômago) e cânfora (pés).

Dia da semana: quinta-feira.

Chamado para: agradecer os bens adquiridos.

Invocação:

Cahetel, recebi de ti infinitos dons.
Tu me rodeaste de obstáculos,
Para me separar de tua Divina presença,
Mas me deste o vigor para enfrentá-los
E triunfar sobre eles.
Permite que este vigor seja cada vez mais intenso.
Que eu seja capaz de vencer todas as barreiras
E alcançar tua fonte de vida.
Livra-me também, ó Cahetel, do pecado da vaidade.

9 – HAZIEL

Significado: Deus de misericórdia.

Hora favorável: das 02:40 às 03:00.

Data de nascimento: 14/01 – 28/03 – 09/06 – 21/08 – 02/11.

Salmo: 24.

Chamado para: para cumprir promessas e saber perdoar.

Gênio contrário: ódio e hipocrisia.

Carreira profissional: sucesso na área de direito (advocacia, magistratura), política e letras (escrita). Faça seu pedido ao Anjo Haziel para que Ele ilumine sua alma com muita perspicácia, fé, luz, competência profissional, ousadia e que a força de seu trabalho provoque transformações positivas por onde passar.

Categoria: Querubins.

Príncipe: Raziel.

Número de sorte: 8.

Mês de mudança: agosto.

Exerce domínio sobre: Etiópia.

Satélite: Lua.

Hortaliça: pepino – bom para o reumatismo.

Fruta: amora – artrite e reumatismo.

Erva medicinal: alecrim do campo – cansaço físico e debilidade orgânica.

Cereal: cevada – nutriente e energético.

Vela: branca.

Metal: prata.

Mineral: opala.

Saúde: metabolismo lento e dores nas pernas.

Essências: sálvia, alecrim e cânfora (dores nas pernas).

Dia da semana: quarta-feira.

Chamado para: reconciliação e ganhos de causas para pessoas inocentes.

Invocação:

Haziel, peço-te
Que tua misericórdia brilhe através de mim.
Que eu possa dar alívio àqueles que se encontram com graves problemas.
Se tudo deve ser compartilhado com generosidade,
Encaminha-me para perto daqueles que vivem rudemente.
Que tenham em mim um apoio para tornar
Menos difícil e mais feliz a passagem por este mundo.

10 – ALADIAH

Significado: Deus propício.

Hora favorável: das 03:00 às 03:20.

Data de nascimento: 15/01 – 29/03 – 10/06 – 22/08 – 03/11.

Salmo: 32.

Características: dá cura de doenças, regeneração moral, perdão e apoio de pessoas importantes, boa saúde e sucesso nos negócios.

Gênio contrário: negligência da saúde e trabalho negativo.

Carreira profissional: sucesso na área de medicina hospitalar, assistência social ou enfermagem, empreendimentos farmacêuticos e fitoterápicos e psiquiatria. Faça seu pedido ao Anjo Aladiah para que Ele ilumine seus passos na carreira, a fim de ajudar as pessoas à sua volta a conquistar, assim, bem-estar e mais qualidade de vida.

Categoria: Querubins.

Príncipe: Raziel.

Número de sorte: 5.

Mês de mudança: maio.

Exerce domínio sobre: Irã.

Planeta: Júpiter.

Hortaliça: rabanete – estimula o apetite.

Fruta: caqui – insônia e irritabilidade.

Erva medicinal: bálsamo-da-horta – contusões e torções.

Cereal: grão-de-bico – vitamínico.

Vela: verde.

Metal: ferro.

Mineral: amazonita.

Saúde: dores de cabeça e sensibilidade na coluna vertebral.

Essências: camomila, hortelã e lavanda (para aliviar as dores de cabeça).

Dia da semana: segunda-feira.

Chamado para: curar as doenças e as maldades.

Invocação:
Aladiah, ajuda-me a compartilhar com meus irmãos
As bondades que recebi de ti.
Que por meio de mim possam receber tua força que cura.
Que eu me torne justo e discreto
Ao utilizar os bens de que disponho.
Faze de mim um bom advogado na defesa dos ignorantes.
Senhor Aladiah, que eu leve tua graça a todos
E execute tuas obras com amor.

11 – LAOVIAH

Significado: Deus louvado e exaltado.
Hora favorável: das 03:20 às 03:40.
Data de nascimento: 16/01 – 30/03 – 11/06 – 23/08 – 04/11.
Salmo: 17.
Características: proteção contra raios, ciúme, orgulho e calúnia.
Gênio contrário: ambição, ciúme, orgulho e calúnia.
Carreira profissional: você terá êxito, brilho, sucesso em qualquer área que escolher, pois é dotado de muito ânimo, destemor, desembaraço e superará os desafios com facilidade. As habilidades política, social, para a moda, artística, jornalística, com decoração e artesanato estarão presentes em seu caminho existencial. Faça seu pedido ao Anjo Laoviah para que Ele ilumine sua alma com energias positivas e que jamais falte perseverança e determinação em seus projetos.
Categoria: Querubins.
Príncipe: Raziel.
Número de sorte: 7.
Mês de mudança: julho.
Exerce domínio sobre: os latinos.
Planeta: Saturno.
Hortaliça: abóbora – cicatrizante.

Fruta: abacaxi – digestão.
Erva medicinal: anil – dores de dente, intoxicações, febre.
Cereal: feijão – nutriente.
Vela: branca.
Metal: níquel.
Mineral: âmbar.
Saúde: evitar a manipulação de objetos cortantes.
Essências: sálvia, erva-doce e manjerona (ferimentos).
Dia da semana: terça-feira.
Chamado para: obter vitória e combater fraudes.
Invocação:
Laoviah, que dás a alegria da fama
Aos que vivem sob tua proteção,
Peço-te que me faças ser útil na renovação da vida.
E não permitas que a inveja
Me leve a falsos testemunhos.
Que eu possa, ó Laoviah,
Ser um exemplo das virtudes que emanam de Deus.

12 – HAHAHIAH
Significado: Deus-refúgio.
Hora favorável: das 03:40 às 04:00.
Data de nascimento: 17/01 – 31/03 – 12/06 – 24/08 – 05/11.
Salmo: 9.
Características: auxilia-nos na interpretação de sonhos e mistérios ocultos, dando proteção contra a mentira e as indiscrições. As pessoas nascidas sob sua influência são discretas, tranquilas e espirituais.
Gênio contrário: indiscrição e mentiras.
Carreira profissional: sucesso extraordinário na área da medicina em geral e da psicologia. Como um passatempo, você poderá criar algo relacionado a cosméticos, próteses ou objetos destinados a melhorar a

aparência das pessoas com deficiência física. Faça seu pedido ao Anjo Hahahiah para que Ele fortaleça sua capacidade de criar, inovar e para que você possa ajudar muitas pessoas ao seu redor.

Categoria: Querubins.

Príncipe: Raziel.

Número de sorte: 5.

Mês de mudança: maio.

Exerce domínio sobre: Grécia.

Planeta: Netuno.

Hortaliça: chuchu – hipertensão arterial.

Fruta: figo – laxante.

Erva medicinal: bardana – depurativa.

Cereal: aveia – nutriente.

Vela: lilás.

Metal: prata.

Mineral: pérola.

Saúde: colesterol.

Essências: gerânio, alecrim e lavanda (adstringente).

Dia da semana: domingo.

Chamado para: enfrentar as adversidades e interpretar as revelações dos mistérios ocultos em sonhos.

Invocação:

Hahahiah, permita que eu possa
Contemplar dentro de mim a beleza do amor de Deus.
Que eu seja aquele que transmite
A calma e a paz às almas sofredoras.
Permita, Hahahiah, que eu não confunda o amor Divino
com as paixões humanas que agitam os corações.

13 – YESALEL

Significado: Deus glorificado acima de todas as coisas.

Hora favorável: das 04:00 às 04:20.

Data de nascimento: 18/01 – 01/04 – 13/06 – 25/08 – 06/11.
Salmo: 97.
Características: reconcilia casais, protege a fidelidade e realiza trabalhos difíceis; pessoas de memória prodigiosa.
Gênio contrário: ignorância e mentira.
Carreira profissional: êxito na área do direito, preferencialmente em assuntos relacionados à vida matrimonial, atuando também como orientador nesse campo profissional. Faça seu pedido ao Anjo Yesalel para que Ele fortaleça seu poder de comunicação, oralidade e escrita quando precisar de mais garra e sabedoria para lidar com determinadas situações profissionais.
Categoria: Querubins.
Príncipe: Raziel.
Número de sorte: 6.
Mês de mudança: junho.
Exerce domínio sobre: Ilíria (costa setentrional do mar Adriático).
Planeta: Saturno.
Hortaliça: gengibre – amigdalite, rouquidão, tosse.
Fruta: figo – dentes, amigdalite.
Erva medicinal: cambará – tosse.
Cereal: soja – nutriente.
Vela: rosa.
Metal: níquel.
Mineral: quartzo rosa.
Saúde: garganta e maxilar.
Essências: sálvia-esclareia, bergamota e manjericão (garganta).
Dia da semana: sábado.
Chamado para: felicidade conjugal e amizades.
Invocação:
Yesalel, dá-me a medida exata de tuas virtudes.
Faze que os meus desejos aceitem o comando da razão

E que a fidelidade impere nos meus sentimentos.
Afasta-me de tudo que é pequeno, insignificante.
Endereça-me para o que é eterno.
Que jamais saiam da minha boca palavras inúteis.
Que eu esteja, Senhor, sempre convicto de tua verdade eterna.

14 – MEBAHEL

Significado: Deus conservador.
Hora favorável: das 04h20 às 04:40.
Data de nascimento: 19/01 – 02/04 – 14/06 – 26/08 – 07/11.
Salmo: 9.
Características: traz justiça, imparcialidade e proteção contra calúnia e falsos testemunhos, destacando-se pessoas que trabalham com a lei.
Gênio contrário: calúnia e falso testemunho.
Carreira profissional: sucesso na área do direito, sendo também válida a ideia de escrever textos jurídicos com embasamento histórico. Você batalhará pelos direitos da sociedade, tendo a possibilidade de ser reconhecido internacionalmente. Poderá favorecer ou articular atos contra genocídios (extermínio intencional de grupos específicos). Faça seu pedido ao Anjo Mebahel para que Ele fortaleça sempre sua coragem, ousadia e lhe permita lutar pela sociedade com bravura, fé e otimismo.
Categoria: Querubins.
Príncipe: Raziel.
Número de sorte: 6.
Mês de mudança: junho.
Exerce domínio sobre: Espanha.
Planeta: Júpiter.
Hortaliça: manjericão – tônica.
Fruta: abacate – gengivite.
Erva medicinal: saião – aftas e feridas.

Cereal: arroz – energético.
Vela: lilás.
Metal: magnésio.
Mineral: ametista.
Saúde: cáries e gengivites.
Essências: mirra, sálvia e hortelã (assepsia bucal).
Dia da semana: domingo.
Chamado para: justiça, verdade e liberdade.
Invocação:
Mebahel, delegaste-me o poder de construir o futuro
Segundo tuas leis.
Que eu seja capaz de entender a ira dos meus irmãos
Humilhados e ultrajados pela injustiça.
Que o meu papel na sociedade seja
O de destruidor de tudo que é falso.
Mobiliza os meus sentimentos e forças morais
Para lutar por um futuro cheio de esperança.

15 – HARIEL
Significado: Deus criador.
Hora favorável: das 04:40 às 05:00.
Data de nascimento: 20/01 – 03/04 – 15/06 – 27/08 – 08/11.
Salmo: 93.
Características: desempenho profissional, exaltação dos sentimentos religiosos. Domina as ciências, as artes e as novas descobertas.
Gênio contrário: guerras religiosas, seitas enganosas.
Carreira profissional: as áreas mais favorecidas são advocacia, artesanato, ensino, restauração e estudo de objetos antigos e pintura. Faça seu pedido ao Anjo Hariel para que Ele fortaleça sua autoestima, sua sensibilidade, seu poder de expressão e sua oralidade e para que você encare os desafios de sua profissão como forma de aprendizado constante.

Categoria: Querubins.
Príncipe: Raziel.
Número de sorte: 12.
Mês de mudança: dezembro.
Exerce domínio sobre: Itália.
Planeta: Marte.
Hortaliça: tomate – reumatismo e artrite.
Fruta: tangerina – mineralizante.
Erva medicinal: girassol – contusões, escoriações e feridas.
Cereal: milho – nutriente.
Vela: branca.
Metal: ouro.
Mineral: lápis-lazúli.
Saúde: luxações e dores nos ossos.
Essências: calêndula, alecrim e cânfora (dores nas pernas).
Dia da semana: sexta-feira.
Chamado para: os incrédulos.
Invocação:
Hariel, dá-me força e coragem
Para enfrentar meu destino,
Transformando em bem todo mal que fiz.
Ilumina minha inteligência para que com minha palavra
Se reconciliem estes eternos inimigos
Que são os sentimentos e a razão.
Que a minha verdade seja sempre a tua verdade,
Que eu jamais me separe dos teus santos mandamentos.
Que eu seja aquele que leva os ateus
A te descobrir e a te amar.

16 – HEKAMIAH

Significado: Deus criador do Universo.
Hora favorável: das 05:00 às 05:20.

Data de nascimento: 21/01 – 04/04 – 16/06 – 28/08 – 09/11.
Salmo: 87.
Características: concede-nos a vitória sobre nossos inimigos. Pessoa de caráter franco, bravo e leal.
Gênio contrário: traição e revolta.
Carreira profissional: sucesso garantido em vários campos, tais como área legislativa, atividades relacionadas à cultura, finanças, jornalismo, relações públicas, comunicação em geral, artes e estética. Apresenta facilidade para aprender vários idiomas. Faça seu pedido ao Anjo Hekamiah para que Ele ilumine sua essência com a virtude da paciência e da sabedoria intelectual a fim de que você transmita conhecimento e carisma para as pessoas ao seu redor.
Categoria: Querubins.
Príncipe: Raziel.
Número de sorte: 7.
Mês de mudança: julho.
Exerce domínio sobre: França.
Planeta: Marte.
Hortaliça: mandioca – antirreumática.
Fruta: romã – mineralizante.
Erva medicinal: panaceia – depurativa.
Cereal: trigo – reconstituinte.
Vela: azul.
Metal: ferro.
Mineral: coral.
Saúde: articulações.
Essências: limão, lavanda e cipreste (articulações).
Dia da semana: terça-feira.
Chamado para: pessoas que ocupam posições de comando.
Invocação:
Hekamiah, se tu me designaste

Para a construção de um novo mundo,
Dá-me coragem.
Segue meus passos e não me deixes enganar
Ao compreender o teu desígnio.
Mantém-me orientado pelas forças Divinas
Quando meu coração fraquejar.
Revela meus erros e, agarrando-me a tua mão,
Tornarei o mundo mais sensível aos teus propósitos.

17 – LAUVIAH

Significado: Deus admirável.
Hora favorável: das 05:20 às 05:40.
Data de nascimento: 22/01 – 05/04 – 17/06 – 29/08 – 10/11.
Salmo: 8.
Características: volta de antigas amizades, sonhos proféticos e revelações durante o sonho. Oferece-nos talentos artísticos e literários.
Gênio contrário: ateísmo.
Carreira profissional: êxito profissional garantido nas áreas de filosofia, medicina, esoterismo, comunicação social, fabricação de brinquedos, aparelhos elétricos, papéis (livros) ou produtos farmacêuticos (relacionados ao sono). Faça seu pedido ao Anjo Lauviah para que Ele ilumine sua essência com sabedoria de vida, serenidade na alma e para que elimine as más vibrações energéticas de seu caminho profissional.
Categoria: Tronos.
Príncipe: Tsaphkiel.
Número de sorte: 7.
Mês de mudança: julho.
Exerce domínio sobre: Alemanha.
Astro: Sol.
Hortaliça: rábano – alegria.
Fruta: maracujá – adstringente.

Erva medicinal: cambará-roxo – gripe, tosse, resfriado e bronquite.
Cereal: soja – mineralizante.
Vela: verde.
Metal: magnésio.
Mineral: pirita.
Saúde: alergias.
Essências: melissa, benjoim e limão (alergias).
Dia da semana: domingo.
Chamado para: tristeza e insônia.
Invocação:
Lauviah, permite que situações do meu passado
Se tornem transparentes, a fim de que
Nenhuma lembrança antiga
Me perturbe o sono e me traga tristeza.
Ilumina as minhas emoções para que eu possa
Mostrar às pessoas as maravilhas da criação.

18 – CALIEL
Significado: Deus pronto para ouvir.
Hora favorável: das 05:40 às 06:00.
Data de nascimento: 23/01 – 06/04 – 18/06 – 30/08 – 11/11.
Salmo: 7.
Características: faz triunfar a inocência e conseguir um bom advogado para nos defender. Pessoa íntegra e amante da verdade.
Gênio contrário: homens vis e que enriquecem à custa dos outros.
Carreira profissional: as áreas favoráveis para seu desenvolvimento são advocacia, jornalismo, escrita e atividades no campo da magistratura (justiça). Faça seu pedido ao Anjo Caliel para que Ele ilumine sua essência na busca da verdade, do bem-estar de si e dos outros, proporcionando sempre a justiça verdadeira nas situações presentes.
Categoria: Tronos.

Príncipe: Tsaphkiel.
Número de sorte: 10.
Mês de mudança: outubro.
Exerce domínio sobre: Polônia.
Planeta: Mercúrio.
Hortaliça: repolho – cefaleias, nevralgias.
Fruta: pêssego – cataplasma para nevralgia.
Erva medicinal: calêndula – inflamação nos olhos.
Cereal: centeio – nutriente.
Vela: azul.
Metal: estanho.
Mineral: turquesa.
Saúde: rinite e sinusite.
Essências: camomila, hortelã e melissa (áreas congestionadas).
Dia da semana: segunda-feira.
Chamado para: conseguir socorro diante das adversidades.
Invocação:
Caliel, permite que minha inteligência
Esteja sempre a serviço de causas justas.
Dá-me a prudência quando for tentado
A utilizá-la em coisas inúteis.
Que minha lógica assemelhe-se à lógica Divina
E que eu possa intervir sempre sobre aqueles
Que necessitam de tua proteção. Permita-me, Caliel,
Que eu possa compreender os fora da lei;
Quando os julgar, a bondade de Deus
Não se aparte de mim.

19 – LEUVIAH
Significado: Deus, auxílio dos pecadores.
Hora favorável: das 06:00 às 06:20.

Data de nascimento: 24/01 – 07/04 – 19/06 – 31/08 – 12/11.
Salmo: 39.
Características: inspiração poética e artística, governa a memória e a inteligência. Pessoa amável e honesta.
Gênio contrário: infelicidade, desespero, derrotas.
Carreira profissional: conquistas fabulosas na área de arqueologia, ou seja, em museus e na conservação da memória do passado por meio de arquivos e livros. Como passatempo, fabricação de objetos para entrar em contato com os Anjos ou escrita de manuais para desenvolver e fortificar a memória. Faça seu pedido ao Anjo Leuviah para que Ele ilumine sua essência de sabedoria criativa, artística e que conserve sua memória sempre rica em informações, ideias e sensibilidade.
Categoria: Tronos.
Príncipe: Tsaphkiel.
Número de sorte: 12.
Mês de mudança: dezembro.
Exerce domínio sobre: Hungria.
Planeta: Vênus.
Hortaliça: rúcula – colite.
Fruta: amêndoa – hiperacidez gástrica.
Erva medicinal: folha-santa – flatulência.
Cereal: aveia – intestino preso.
Vela: amarela.
Metal: cobre.
Mineral: safira.
Saúde: retenção de líquidos e estômago dilatado.
Essências: camomila, erva-doce e hortelã (aparelho digestivo).
Dia da semana: domingo.
Chamado para: memória e inteligência.
Invocação:
Leuviah, elimina do meu inconsciente

Todos os elementos que o poluem.
Afasta de meus sonhos
As imagens assustadoras e monstruosas.
Que a minha imaginação tenha boas explicações,
Capazes de fazer com que meus irmãos percebam nelas
A origem de um futuro brilhante.
Senhor Leuviah, faze-me encontrar o equilíbrio
Para que eu possa ser o programador
De um mundo situado além da humanidade.

20 – PAHALIAH

Significado: Deus redentor.
Hora favorável: das 06:20 às 06:40.
Data de nascimento: 25/01 – 08/04 – 20/06 – 01/09 – 13/11.
Salmo: 119.
Características: revelação da verdade e da sabedoria, rege a religião.
Gênio contrário: libertinos e renegados.
Carreira profissional: sucesso garantido nas áreas de jornalismo, comunicação social, oratória e palestras. Apresenta também habilidade para trabalhos manuais ou atividades relacionadas à Antiguidade. O campo esotérico é igualmente bastante favorecido. Faça seu pedido ao Anjo Pahaliah para que Ele ilumine sua consciência, seu poder de comunicação e expressão, além de inspirar intuições positivas.
Categoria: Tronos.
Príncipe: Tsaphkiel.
Número de sorte: 13.
Mês de mudança: janeiro ou abril.
Exerce domínio sobre: Moscou.
Satélite: Lua.
Hortaliça: salsa – expectorante.
Fruta: uva – depurativa.

Erva medicinal: eucalipto – vias respiratórias.

Cereal: cevada – intoxicação.

Vela: branca.

Metal: prata.

Mineral: pedra da lua.

Saúde: alergia e taquicardia.

Essências: jasmim, cipreste e hissopo (alergia e taquicardia).

Dia da semana: quinta-feira.

Chamado para: encontrar a vocação certa.

Invocação:

Pahaliah, ilumina minha fé
Para que eu entenda as verdades deste mundo.
Que eu seja um exemplo àqueles que se sentem perdidos
E que ainda não encontraram seu verdadeiro caminho.
Dá-nos a solidão para meditar nas coisas superiores.
E, quando minha alma se aproximar
De tua ciência sagrada, faze também que eu me aproxime
Daqueles que necessitam do teu esplendor.
Que eu lhes transmita a semente da eternidade.

21 – NELCHAEL

Significado: Deus uno.

Hora favorável: das 06:40 às 07:00.

Data de nascimento: 26/01 – 09/04 – 21/06 – 02/09 – 14/11.

Salmo: 30.

Características: governa a astronomia, a matemática, a geografia, influenciando os sábios e os filósofos.

Gênio contrário: domina o erro, a violência, a agressividade, a ignorância e o preconceito.

Carreira profissional: êxito na área de matemática, filosofia, geografia, geometria, administração, computação, psicologia e assistência social, além de poesia e literatura. Faça seu pedido para o Anjo Nelchael a fim de que Ele ilumine sua essência com a energia da persistência, da lealdade e da sabedoria intelectual, emocional e espiritual na conquista de seus desejos.

Categoria: Tronos.

Príncipe: Tsaphkiel.

Número de sorte: 5.

Mês de mudança: maio.

Exerce domínio sobre: Boêmia.

Planeta: Mercúrio.

Hortaliça: chuchu – hipertensão arterial.

Fruta: cereja – afecções das vias urinárias.

Erva medicinal: quebra-pedra – diurética.

Cereal: arroz – energético.

Vela: lilás.

Metal: magnésio.

Mineral: ametista.

Saúde: distúrbios renais e pressão arterial.

Essências: lavanda, melissa e manjerona (pressão arterial).

Dia da semana: segunda-feira.

Chamado para: destruir o poder do inimigo e contra calúnias.

Invocação:

Nelchael, faze que o meu projeto para o futuro
Não seja um sonho em vão.
Que, lançando minhas fantasias ao céu,
Elas retornem aos homens
Como uma chuva abundante de verdades.
Faze circular em minhas veias o sopro da eternidade.
Que, não repetindo os erros do passado,
Eu possa construir um Universo novo.
Livra-me dos caluniadores e daqueles que combatem tua obra na Terra.

22 – IEIAIEL

Significado: a justiça de Deus.
Hora favorável: das 07:00 às 07:20.
Data de nascimento: 27/01 – 10/04 – 22/06 – 03/09 – 15/11.
Salmo: 120.
Características: protetor da fama, da fortuna, da diplomacia e das viagens, defendendo as pessoas contra as tempestades e os naufrágios.
Gênio contrário: domina a pirataria e a escravidão.
Carreira profissional: sucesso na área de psicologia, educação, artes e em todas as atividades relacionadas a viagens. Faça seu pedido ao Anjo Ieiaiel para que Ele ilumine seus caminhos com muita garra, determinação e para que o conduza de forma feliz em suas metas de prosperidade financeira.
Categoria: Tronos.
Príncipe: Tsaphkiel.
Número de sorte: 7.
Mês de mudança: julho.
Exerce domínio sobre: Inglaterra.
Planeta: Mercúrio.
Hortaliça: quiabo – pulmões.
Fruta: tâmara – bronquite.
Erva medicinal: urucum – afecções respiratórias.
Cereal: grão-de-bico – energético.
Vela: branca.
Metal: prata.
Mineral: ágata.
Saúde: cordas vocais.
Essências: eucalipto, cipreste e cedro.
Dia da semana: segunda-feira.
Chamado para: a diplomacia e o comércio.
Invocação:
Ieiaiel, tu me fizeste conhecer a unidade de teu reino.

Permita que este conhecimento se reflita em minha vida.
Quero que minhas ações
Falem mais alto que minhas palavras.
Que, durante esta vida, eu possa caminhar
Em direção ao teu futuro brilhante,
Livrando-me das catástrofes e dos perigos
Que afastam o homem de Deus.
Livra-me, Senhor, do pecado do narcisismo:
Quando um espelho refletir meu rosto,
Eu possa descobrir nele a face Divina.

23 – MELAHEL

Significado: Deus que livra do mal.
Hora favorável: das 07:20 às 07:40.
Data de nascimento: 28/01 – 11/04 – 23/06 – 04/09 – 16/11.
Salmo: 120.
Características: realização dos nossos desejos, proteção nas atividades políticas e públicas. Ajuda as plantas medicinais e favorece as viagens seguras.
Gênio contrário: tudo o que é prejudicial aos vegetais.
Carreira profissional: sucesso na área de botânica, biologia, fitoterapia, bioquímica e escrita de livros sobre as plantas. Como passatempo, você poderá cultivar plantas exóticas ou medicinais. Faça seu pedido ao Anjo Melahel para que Ele ilumine sua essência com proteção espiritual, física e emocional, além de lhe proporcionar o poder de uma boa escolha em todas as suas atitudes.
Categoria: Tronos.
Príncipe: Tsaphkiel
Número de sorte: 7.
Mês de mudança: julho.
Exerce domínio sobre: Irlanda.
Satélite: Lua.

Hortaliça: brócolis – calcificante; cambuquira – ferro.

Fruta: laranja – espasmos musculares.

Erva medicinal: confrei – fraturas.

Cereal: trigo – nutriente.

Vela: branca.

Metal: ferro.

Mineral: turquesa.

Saúde: pés sensíveis.

Essências: eucalipto, calêndula e cânfora (distensão dos pés).

Dia da semana: segunda-feira.

Chamado para: proteger contra armas e assaltos.

Invocação:

Melahel, permita-me contemplar
A eternidade por meio de ti.
Inspira-me a tirar conclusões gerais
A partir de observações particulares,
De acordo com as leis naturais.
Para que tudo em mim se reconstrua,
Que eu traga aos meus irmãos tua harmonia divina
A fim de que por intermédio dela reencontrem
O ritmo perfeito do corpo e restabeleçam a saúde.
Dá-me o poder de saber apreciar
As coisas passageiras da vida,
Que só tu sabes tornar eternas e sublimes.

24 – HAHEUIAH

Significado: Deus bondoso para si próprio.

Hora favorável: das 07:40 às 08:00.

Data de nascimento: 29/01 – 12/04 – 24/06 – 05/09 – 17/11.

Salmo: 32.

Características: protege contra animais nocivos, ladrões e assassinos. Pessoas sinceras.

Gênio contrário: domina aqueles que procuram viver por meios ilícitos.
Carreira profissional: êxito nas áreas de política, direito, ciências exatas e artes. Áreas ligadas à segurança também são favoráveis. Faça seu pedido ao Anjo Haheuiah para que Ele ilumine sua essência com autoconfiança, fé e lhe proporcione o sentimento de compreensão e flexibilidade de ideias diante dos desafios da vida.
Categoria: Tronos.
Príncipe: Tsaphkiel.
Número de sorte: 4.
Mês de mudança: abril.
Exerce domínio sobre: Itália antiga.
Planeta: Vênus.
Hortaliça: pimentão – vitamínica.
Fruta: goiaba – digestiva.
Erva medicinal: mil-folhas – adstringente.
Cereal: milho – nutriente.
Vela: verde.
Metal: estanho.
Mineral: topázio.
Saúde: hipocondríaco.
Essências: bergamota, sálvia e cipreste (desintoxicação).
Dia da semana: segunda-feira.
Chamado para: conseguir a graça e a misericórdia de Deus.
Invocação:
Haheuiah, toma-me sob tua proteção.
És meu guia e instrutor.
Sem ti eu perderia o rumo nesta vida.
Quero que me conduzas para a Luz,
Que minha inteligência saberá compreender.
Só assim entenderei o mundo,
A mim mesmo e também a ti.

Desejando ser a pedra angular de tua obra,
Ponho-me sob tua proteção, meu guia e senhor.

25 – NITH-HAIAH

Significado: Deus que dá a sabedoria.
Hora favorável: das 08:00 às 08:20.
Data de nascimento: 30/01 – 13/04 – 25/06 – 06/09 – 18/11.
Salmo: 9.
Características: dominador das ciências ocultas, faz revelações em sonhos.
Gênio contrário: domina a magia negra.
Carreira profissional: sucesso na área de psicologia, ciência, escrita e esoterismo em geral. Faça seu pedido ao Anjo Nith-Haiah para que Ele ilumine seus caminhos com muita sabedoria espiritual, favorecendo a virtude da modéstia em suas atitudes, e para que o conduza à busca do sucesso coletivo.
Categoria: Dominações.
Príncipe: Tsadkiel.
Número de sorte: 11.
Mês de mudança: novembro.
Exerce domínio sobre: magos.
Planeta: Saturno.
Hortaliça: chicória – diurética.
Fruta: sapoti – diurética.
Erva medicinal: chapéu-de-couro – depurativa.
Cereal: broto de soja – ferro.
Vela: lilás.
Metal: ferro.
Mineral: ametista.
Saúde: tendência a engordar devido à retenção de líquidos.
Essências: erva-doce, alecrim e sândalo (diurético).

Dia da semana: domingo.

Chamado para: a obtenção da sabedoria e a verdade dos mistérios ocultos.

Invocação:

Nith-Haiah, faze que em mim
Tua luz seja sólida e firme como a pedra;
Que as minhas ambições sejam grandiosas,
Não para projetar minha personalidade,
Mas sim teus divinos poderes.
Dá-me tranquilidade para que possa
Absorver tua essência de modo a ver até aquilo
Que é proibido aos olhos dos mortais.
Livra-me da tentação de usar tuas virtudes
Para aumentar minha vaidade ou diminuir meu próximo.
Que minhas preces sejam do agrado do Deus eterno.

26 – HAAIAH

Significado: Deus que ouve em segredo.

Hora favorável: das 08:20 às 08:40.

Data de nascimento: 31/01 – 14/04 – 26/06 – 07/09 – 19/11.

Salmo: 118.

Características: protege aqueles que buscam a verdade, influencia a política, os embaixadores, os tratados de paz, o comércio e as convenções.

Gênio contrário: domina os ambiciosos, traidores e conspiradores.

Carreira profissional: sucesso na área de turismo, política, pilotagem ou ao realizar atividades esotéricas com oráculos. Faça seu pedido ao Anjo Haaiah para que Ele ilumine sua essência com sabedoria espiritual, paciência, serenidade na alma e luz no coração.

Categoria: Dominações.

Príncipe: Tsadkiel.

Número de sorte: 4.
Mês de mudança: abril.
Exerce domínio sobre: os sarracenos (árabes ou muçulmanos).
Satélite: Lua.
Hortaliça: manjericão – aparelho digestivo.
Fruta: fruta-do-conde – cólicas.
Erva medicinal: beldroega – distúrbios menstruais.
Cereal: milho – cistite.
Vela: branca.
Metal: estanho.
Mineral: pedra da lua.
Saúde: distúrbios ginecológicos e prisão de ventre.
Essências: bergamota, camomila e cipreste (problemas ginecológicos), erva-doce e manjerona (prisão de ventre).
Dia da semana: sábado.
Chamado para: ganhar processos judiciais e descobrir conspirações.
Invocação:
Haaiah, permita-me ser sobre a Terra tua luz.
Se me concederes poder
Para decidir conflitos entre os povos,
Ajuda-me para que os solucione
Do modo mais elevado e humano possível,
Sempre pensando no bem das pessoas
E em harmonia com o teu Universo.
Afasta de mim a inquietação
Para que, entre o bem e o mal, eu seja um homem justo.

27 – IERATHEL

Significado: Deus que castiga os maus.
Hora favorável: das 08:40 às 09:00.
Data de nascimento: 01/02 – 15/04 – 27/06 – 08/09 – 20/11.

Salmo: 139.

Características: obtemos o conhecimento das verdades Divinas e o sucesso nos negócios, dominando a liberdade e a civilização e nos destacando na literatura.

Gênio contrário: domina a ignorância, a escravidão e a intolerância.

Carreira profissional: êxito na área de jornalismo, escrita de livros, assistência social ou atividades relacionadas à cultura, ao lazer e ao bem-estar das pessoas. Faça seu pedido ao Anjo Ierathel para que Ele proporcione o sentimento de paz em seu coração, favoreça sua posição social e desperte incessantemente sua sabedoria intelectual.

Categoria: Dominações.

Príncipe: Tsadkiel.

Número de sorte: 11.

Mês de mudança: novembro.

Exerce domínio sobre: coptas (egípcios antigos).

Planeta: Saturno.

Hortaliça: cenoura – anti-inflamatória e depurativa.

Fruta: tamarindo – adstringente.

Erva medicinal: solidônia – anti-inflamatória.

Cereal: lentilha – anti-inflamatório.

Vela: amarela.

Metal: prata.

Mineral: pérola.

Saúde: órgãos genitais.

Essências: sálvia-esclareia, rosa e hortelã (anti-inflamatório).

Dia da semana: quarta-feira.

Chamado para: conseguirmos a proteção contra aqueles que nos atacam injustamente.

Invocação:

Ierathel, permita-me usar as minhas virtudes
Para iluminar as partes obscuras do meu Universo.

Que eu seja um lago de fogo
Para purificar os que dele se aproximarem.
Ajuda-me a penetrar no domínio das coisas sagradas,
Abandonando as coisas do mundo.
Que a vontade de trabalhar e de aprender
Nunca acabe em minha alma.
E, quando meu espírito se elevar para perto de ti,
Ierathel, faze com que eu veja a face de Deus.

28 – SEHEIAH

Significado: Deus que cura as enfermidades.
Hora favorável: das 09:00 às 09:20.
Data de nascimento: 02/02 – 16/04 – 28/06 – 09/09 – 21/11.
Salmo: 70.
Características: protege contra incêndios, doenças, acidentes e quedas. Pessoas de caráter prudente e sensato.
Gênio contrário: impulsividade e acidentes.
Carreira profissional: sucesso na área de administração pública, escrita de livros, rádio e televisão, homeopatia e acupuntura. Faça seu pedido ao Anjo Seheiah para que Ele ilumine sua essência para a melhor escolha profissional e lhe proporcione fé, determinação, coragem e capacidade para fazer mudanças significativas em sua trajetória profissional.
Categoria: Dominações.
Príncipe: Tsadkiel.
Número de sorte: 6.
Mês de mudança: junho.
Exerce domínio sobre: Iraque.
Planeta: Júpiter.
Hortaliça: beterraba – calmante.
Fruta: acerola – vitamínica.

Erva medicinal: cipó-caboclo – tônica.

Cereal: centeio – nutriente.

Vela: verde.

Metal: ferro.

Mineral: amazonita.

Saúde: depressão, gula e desequilíbrio emocional.

Essências: olíbano, jasmim e gerânio (contra a depressão).

Dia da semana: quinta-feira.

Chamado para: auxiliar contra os tormentos, as doenças e os parasitas.

Invocação:

Seheiah, ajuda-me a compreender meus erros,
De modo que o sofrimento
Não seja o único caminho para isso.
Agradeço-te pelos muitos dons que me dás;
Guia-me para que eu saiba administrá-los com prudência.
Protege-me quando a minha saúde fraqueja;
Ilumina minha alma para que eu aceite os desafios.
Livre-me dos meus pecados,
Faze de mim uma coluna do teu templo.

29 – REYEL

Significado: Deus do socorro.

Hora favorável: das 09:20 às 09:40.

Data de nascimento: 03/02 – 17/04 – 29/06 – 10/09 – 22/11.

Salmo: 53.

Características: propagará a virtude e a verdade.

Gênio contrário: domina o fanatismo e a hipocrisia.

Carreira profissional: sucesso na área de pintura, escultura, escrita e artes em geral. Faça seu pedido ao Anjo Reyel para que Ele ilumine sua essência com sensibilidade às atividades artísticas e para que o conduza à reflexão por meio da energia do amor, da compaixão e da humildade.

Categoria: Dominações.
Príncipe: Tsadkiel.
Número de sorte: 8.
Mês de mudança: agosto.
Exerce domínio sobre: Peru.
Planeta: Marte.
Hortaliça: batata – vitamínica.
Fruta: maçã – adstringente.
Erva medicinal: paratudo – tônica.
Cereal: aveia – deficiência de ferro.
Vela: azul.
Metal: ferro.
Mineral: lápis-lazúli.
Saúde: visão.
Essências: sândalo, rosa e bergamota (para aliviar a tensão).
Dia da semana: quarta-feira.
Chamado para: livrar-nos dos inimigos e nos inspirar nas orações e nos discursos.
Invocação:
Reyel, tu me elegeste
Para ser o mensageiro de tua palavra.
Vigia-me para que minha alma se conserve sempre pura
Ao manifestar teu pensamento.
Livra-me das impurezas e dos obstáculos
Para que tudo atinja seu objetivo.
Não permitas que pela minha conduta dê maus exemplos.
Senhor Reyel, dá-me coragem e devoção
Para ser um daqueles que espalham tuas virtudes.

30 – OMAEL
Significado: Deus paciente.
Hora favorável: das 09:40 às 10:00.

Data de nascimento: 04/02 – 18/04 – 30/06 – 11/09 – 23/11.

Salmo: 70.

Características: protetor dos médicos, dos químicos e do reino animal. Pessoas de sucesso e ligadas à medicina.

Gênio contrário: inimigo da procriação das espécies.

Carreira profissional: sucesso na área de pediatria, obstetrícia, cirurgia, política, puericultura, química e anatomia. Faça seu pedido ao Anjo Omael para que Ele ilumine seus caminhos com sabedoria intelectual, sensibilidade e para que o conduza às melhores decisões nessa área de sua vida.

Categoria: Dominações.

Príncipe: Tsadkiel.

Número de sorte: 6.

Mês de mudança: junho.

Exerce domínio sobre: Índia.

Astro: Sol.

Hortaliça: cará – nutriente.

Fruta: groselha vermelha – vitamínica.

Erva medicinal: serralha/serralhinha – oftálmica.

Cereal: soja – energético.

Vela: verde.

Metal: ouro.

Mineral: coral.

Saúde: aparelho auditivo.

Essências: rosa, camomila e manjericão.

Dia da semana: quinta-feira.

Chamado para: o bom relacionamento familiar e a geração de filhos.

Invocação:

Omael, desejaria que por meio de mim
Viessem ao mundo almas nobres e iluminadas;
Ser escolhido por ti para transmitir a vida
A seres superiores que testemunharão o teu reino.

Mas, se é exigido que de mim venham seres
com problemas físicos ou espirituais,
prepara-me para que encontrem em mim
as virtudes necessárias à sua passagem pela Terra.
Dá-me, Senhor, o dom da vida.

31 – LECABEL

Significado: Deus inspirador.
Hora favorável: das 10:00 às 10:20.
Data de nascimento: 05/02 – 19/04 – 01/07 – 12/09 – 24/11.
Salmo: 70.
Características: protege a agricultura e a vegetação. Pessoas que se interessam por astronomia, matemática e geometria.
Gênio contrário: agiotas e mesquinhos.
Carreira profissional: êxito na área de ciências exatas, agricultura, agronomia, veterinária, astrologia e astronomia. Faça seu pedido ao Anjo Lecabel para que Ele ilumine seus pensamentos, conduzindo-o ao sucesso pessoal e social, e para que você tome as melhores atitudes em seus futuros desafios profissionais.
Categoria: Dominações.
Príncipe: Tsadkiel.
Número de sorte: 11.
Mês de mudança: novembro.
Exerce domínio sobre: China.
Astro: Sol.
Hortaliça: berinjela – indigestão.
Fruta: banana – intestino.
Erva medicinal: losna – aparelho digestivo.
Cereal: aveia – calmante.
Vela: verde.
Metal: cobre.

Mineral: granada.

Saúde: intestinos.

Essências: calêndula, manjericão e camomila.

Dia da semana: quinta-feira.

Chamado para: resolver problemas na profissão e na agricultura.

Invocação:

Lecabel, inspira minha alma
Para que eu desenvolva bem o meu trabalho.
Ajuda-me a descobrir, em meu interior,
Os grandes espaços siderais,
De modo que o ritmo do meu corpo
Acompanhe o do movimento cósmico.
Que a minha inteligência solucione
Tudo o que de mim esperam,
E afasta, para bem longe, a tentação
De enriquecer explorando meus talentos.
Dá-me a serenidade para assimilar
Todas as boas experiências;
Faze com que as paixões não me dominem.
Que eu seja sensível a uma única beleza: a face de Deus.

32 – VASAHIAH

Significado: Deus justo.

Hora favorável: das 10:20 às 10:40.

Data de nascimento: 06/02 – 20/04 – 02/07 – 13/09 – 25/11.

Salmo: 32.

Características: domínio sobre a justiça. Pessoa dotada de boa memória, amável e modesta.

Gênio contrário: más qualidades físicas e espirituais.

Carreira profissional: sucesso na área de advocacia, assistência social, ensino e escrita de livros, resenhas e apostilas — tudo para facilitar a compreensão do leitor. Faça seu pedido ao Anjo Vasahiah para que Ele desperte dicas incríveis e facilitadoras e lhe permita conduzir seu trabalho com maestria.

Categoria: Dominações.

Príncipe: Tsadkiel.

Número de sorte: 8.

Mês de mudança: agosto.

Exerce domínio sobre: tártaros (parte da população da Crimeia).

Planeta: Mercúrio.

Hortaliça: aipo – tônica.

Fruta: manga – vitamínica.

Erva medicinal: carqueja – estimula o apetite.

Cereal: feijão – nutriente.

Vela: verde.

Metal: ferro.

Mineral: esmeralda.

Saúde: hipovitaminose.

Essências: limão, tomilho e camomila (contra anemia).

Dia da semana: segunda-feira.

Chamado para: obter justiça, boa memória e facilidade de expressão.

Invocação:

Vasahiah, colocaste um fardo pesado
Sobre meus ombros frágeis.
Se é inevitável que eu julgue meus irmãos,
Defenda seus direitos ou os obrigue a fazer seus deveres.
Manifesta-te em mim, Senhor Vasahiah,
Para que eu seja exemplo de retidão e de ordem.
Se eu sou obrigado a espalhar tua serenidade,
Ajuda-me para que não seja insolente ou orgulhoso.
Faze de mim um modesto serviçal de tua lei
E não uma pessoa arbitrária e injusta.

33 – IEHUIAH

Significado: Deus conhecedor de todas as coisas.

Hora favorável: das 10:40 às 11:00.

Data de nascimento: 07/02 – 21/04 – 03/07 – 14/09 – 26/11.

Salmo: 33.

Características: revelação das nossas atitudes erradas. Pessoa que sempre cumprirá seus deveres.

Gênio contrário: revolta e insubordinação.

Carreira profissional: êxito na área de ensino, psicologia, assistência social e ciências exatas. Faça seu pedido ao Anjo Iehuiah para que Ele o conduza às melhores escolhas da vida com fé, determinação, ousadia e inteligência espiritual e para que você transmita a mensagem necessária por onde passar.

Categoria: Potências.

Príncipe: Camael.

Número de sorte: 9.

Mês de mudança: setembro.

Exerce domínio sobre: Grécia.

Satélite: Lua.

Hortaliça: couve-flor – calcificação.

Fruta: limão – artrite e anemia.

Erva medicinal: capim-cidreira – analgésica e para espasmos musculares.

Cereal: broto de feijão – magnésio.

Vela: branca.

Metal: magnésio.

Mineral: cristal de quartzo.

Saúde: descalcificação.

Essências: limão, tomilho e benjoim (articulações).

Dia da semana: sexta-feira.

Chamado para: descobrir traidores.

Invocação:

Iehuiah, percorri um longo caminho em tua lei;
Fui teu instrumento e me manipulaste segundo tua vontade.
Se agora desejas que eu conheça a perversidade,
Proteja-me das alturas, para que eu aprenda as lições
Sem ir para o lado mau, que sempre me escondestes.
Quero estar sempre dentro dos limites dos teus caminhos;
Que este conhecimento das trevas seja muito breve.
Peço tua ajuda para voltar à luz e ser o fundamento
E a base do teu Universo resplandecente.

34 – LEHAHIAH

Significado: Deus clemente.

Hora favorável: das 11:00 às 11:20.

Data de nascimento: 08/02 – 22/04 – 04/07 – 15/09 – 27/11.

Salmo: 130.

Características: acalma nossa ira, ajuda a tomar atitudes e traz fé e confiança.

Gênio contrário: traição, discórdia, guerra entre países.

Carreira profissional: sucesso como administrador de empresas, poeta, escritor, no esoterismo em geral com oráculos e, como passatempo para a mente e o espírito, no universo da música. Faça seu pedido ao Anjo Lehahiah para que Ele inspire em você, com positividade, o espírito empreendedor, vencendo assim todos os obstáculos da vida com a finalidade de promover sempre o bem-estar a todos.

Categoria: Potências.

Príncipe: Camael.

Número de sorte: 10.

Mês de mudança: outubro.

Exerce domínio sobre: Congo.

Planeta: Saturno.

Hortaliça: mostarda – debilidade orgânica.
Fruta: pera – pressão arterial.
Erva medicinal: velame-branco – depurativa.
Cereal: ervilha – vitamínica.
Vela: verde.
Metal: níquel.
Mineral: ônix.
Saúde: vertigens, queda de pressão.
Essências: sálvia, alecrim e hissopo (pressão).
Dia da semana: sexta-feira.
Chamado para: harmonia, paz e inteligência.
Invocação:
Lehahiah, dá-me boas propostas para fazer.
Dá-me senhores de visões grandiosas,
Aos quais possa mostrar minha eficácia e organização.
Tu me ensinaste a combinar a água com o fogo,
O ar com a terra, e neste trabalho
Espero colher os louros e títulos de glória.
Orienta-me para situações nas quais mostre
As qualidades que me ensinaste.
Se, porventura, precisar trabalhar com senhores mesquinhos,
Dá-me a graça da justiça.
Faze com que eu acalme pessoas enraivecidas,
Que eu seja um exemplo de generosidade e dedicação.
Que eu transmita aos meus irmãos
A paz que puseste em minha alma.

35 – CHAVAKIAH

Significado: Deus doador da alegria.
Hora favorável: das 11:20 às 11:40.
Data de nascimento: 09/02 – 23/04 – 05/07 – 16/09 – 28/11.

Salmo: 114.
Características: reconciliação entre familiares, perdão das ofensas. Pessoa que vive em paz com todos e recompensa a fidelidade.
Gênio contrário: provoca a discórdia em família. Constantes discussões que acabam em desunião.
Carreira profissional: êxito na área de relações públicas e sociologia. Atuação em projetos relacionados à ecologia e à educação. Faça seu pedido ao Anjo Chavakiah para que Ele ilumine seus caminhos com a maestria da comunicação e expressão, além de aguçar sua sensibilidade para conduzir suas decisões e atitudes.
Categoria: Potências.
Príncipe: Camael.
Número de sorte: 6.
Mês de mudança: junho.
Exerce domínio sobre: Angola.
Planeta: Mercúrio.
Hortaliça: taioba – nutriente.
Fruta: abricó – vitamínica.
Erva medicinal: bolsa-de-pastor – reumatismo.
Cereal: soja – energético.
Vela: branca.
Metal: ferro.
Mineral: jaspe.
Saúde: articulações e joelho.
Essências: benjoim, camomila e limão (articulações e artrite).
Dia da semana: domingo.
Chamado para: reconciliação em geral.
Invocação:
Chavakiah, ajuda-me para que a voz do meu ego
Chegue ao meu entendimento.
Ajuda-me a compreender

A língua estranha das regiões divinas.
Dá-me a força para quebrar minhas ligações com os maus hábitos
E poder ser a base de um novo Universo.
Inspira-me a palavra certa, o gesto adequado, a voz que
Clama no céu o que mãos humanas batalham na terra.
Ajuda-me a encontrar
O espaço adequado para essa nova criação.
Serei o construtor de tua obra,
O edificador de um novo Éden.

36 – MENADEL

Significado: Deus digno de adoração.
Hora favorável: das 11:40 ao 12:00.
Data de nascimento: 10/02 – 24/04 – 06/07 – 17/09 – 29/11.
Salmo: 25.
Características: ajuda a encontrar objetos perdidos e dá proteção espiritual e material.
Gênio contrário: pessoas que precisam fugir do país para escapar da justiça.
Carreira profissional: sucesso na área de oratória pública, ciência, pesquisa, ensino, filosofia (como autodidata) e ensino das leis que governam nosso Universo. Está também em seu caminho atender a convites referentes a partidos políticos ou trabalhos comunitários com o intuito de defender a pátria com muito amor e energia. Faça seu pedido ao Anjo Menadel para que Ele ilumine seus passos, seus propósitos de vida pessoal e social e para que você atinja âmbitos elevados da profissão com garra, determinação e veracidade.
Categoria: Potências.
Príncipe: Camael.
Número de sorte: 8.
Mês de mudança: agosto.

Exerce domínio sobre: mouros (povos antigos do norte da África).
Planeta: Marte.
Hortaliça: brócolis – calcificação.
Fruta: nêspera – adstringente.
Erva medicinal: bardana – afecções da pele.
Cereal: trigo – nutriente.
Vela: azul.
Metal: ouro.
Mineral: lápis-lazúli.
Saúde: dentes, olhos e unhas.
Essências: sálvia e hortelã (dentes), flor de laranjeira e rosa (unhas), camomila e lavanda (olhos).
Dia da semana: quarta-feira.
Chamado para: conservar o emprego e tudo o que tem.
Invocação:
Menadel, ajuda-me a esquecer o passado.
Faze com que o véu do esquecimento cubra tudo que fiz.
Não deixes a tristeza me perseguir
Nem os vícios que me prendiam à matéria.
Quero me envolver na tua luz;
Quero ouvir a música das esferas
E o crepitar dos astros em sua rota espacial.
O trabalho de uma longa jornada terminou
E quero retornar ao teu lar.
Compreende por meu intermédio a tua criação.

37 – ANIEL
Significado: Deus virtuoso.
Hora favorável: do 12:00 ao 12:20.
Data de nascimento: 11/02 – 25/04 – 07/07 – 18/09 – 30/11.
Salmo: 79.

Características: domina as ciências e as artes e inspira os sábios e os filósofos.
Gênio contrário: rege os charlatães e os espíritos perversos.
Carreira profissional: êxito na área de comunicação em geral, comédia e artes cênicas. Faça seu pedido ao Anjo Aniel para que Ele ilumine seu autopoder de comunicação e expressão por onde atuar e para que sua sensibilidade aguçada esteja sempre presente nos momentos necessários da vida.
Categoria: Potências.
Príncipe: Camael.
Número de sorte: 11.
Mês de mudança: novembro.
Exerce domínio sobre: os filósofos.
Satélite: Lua.
Hortaliça: batata-doce – anemia.
Fruta: castanha-do-pará – anemia.
Erva medicinal: cordão-de-frade – debilidade orgânica.
Cereal: lentilha – anemia.
Vela: amarela.
Metal: prata.
Mineral: olho-de-tigre.
Saúde: anemia e má assimilação dos sais.
Essências: limão, tomilho e camomila.
Dia da semana: quinta-feira.
Chamado para: obter vitória e ter uma vida digna.
Invocação:
Aniel, por meio de minha inteligência,
Desejo exprimir teu Universo.
Sei que há estágios que ainda não alcancei
Nem cheguei a entender.
Mas sei que, além deste mundo, há um outro maior,

onde um dia todos nós iremos habitar.
Eu te peço, Aniel, que eu possa avistá-lo,
Para que me torne o arauto de todas as tuas maravilhas.
Àqueles que se acham em níveis mais baixos que o meu.
Aguardo uma oportunidade onde eu veja, claramente,
Que tudo vem de ti e que eu permaneça em tua unidade,
Nesta tua obra, tão intensa e variada, de tua vontade única.

38 – HAAMIAH

Significado: Deus, esperança de todos os filhos da Terra.

Hora favorável: do 12:20 ao 12:40.

Data de nascimento: 12/02 – 26/04 – 08/07 – 19/09 – 01/12.

Salmo: 90.

Características: dá proteção contra raios, armas e animais ferozes. Permite-nos descobrir a verdade e nos ajuda em obras espirituais.

Gênio contrário: busca o engano e a mentira.

Carreira profissional: sucesso na área do esoterismo em geral e das pesquisas científicas. Se tiver oportunidade de estudo na área tecnológica ou nuclear, abrace a causa. Faça seu pedido ao Anjo Haamiah para que Ele ilumine seus poderes de clarividência e telepatia, pois você os possui, portanto esteja conectado a Ele sempre que puder.

Categoria: Potências.

Príncipe: Camael.

Número de sorte: 4.

Mês de mudança: abril.

Exerce domínio sobre: cabalistas.

Planeta: Saturno.

Hortaliça: nabo – inflamações da pele.

Fruta: morango – como cataplasma.

Erva medicinal: picão – feridas.

Cereal: feijão – nutriente.

Vela: amarela.
Metal: níquel.
Mineral: âmbar.
Saúde: mãos e dedos frágeis.
Essências: sálvia, erva-doce e manjerona (ferimentos).
Dia da semana: segunda-feira.
Chamado para: descobrir os tesouros e os segredos da Terra.
Invocação:
Haamiah, purifica, Senhor, meus sentimentos.
Afasta de mim tudo o que não estiver
De acordo com tuas regras Divinas.
Faze que meu coração só deseje aquilo que tu, Senhor,
Almejas em tua eternidade.
Inspira-me, Senhor, a edificar teu templo.
Faze que eu conquiste a lógica e a razão,
por meio das quais meus irmãos contemplem em mim
O esplendor de tua obra.
Dá-me, Senhor, poderes para fazer renascer
Tua verdade no coração dos homens.

39 – REHAEL
Significado: Deus que acolhe os pecadores.
Hora favorável: do 12:40 às 13:00.
Data de nascimento: 13/02 – 27/04 – 09/07 – 20/09 – 02/12.
Salmo: 29.
Características: concede paz, saúde e bem-estar. São pessoas que gostam de harmonia em casa e, geralmente, obedecem aos pais.
Gênio contrário: é o mais cruel de todos os conhecidos. Domina os que matam seus filhos e pais.
Carreira profissional: êxito na área de medicina, enfermagem, sociologia, ensino, escrita, prestação de serviços em laboratórios, clínicas de geriatria e pesquisas relacionadas ao combate e ao isolamento de

doenças. Faça seu pedido ao Anjo Rehael para que Ele ilumine seus objetivos e metas de vida e o conduza ao sucesso pessoal, social, enfim, humanitário, com maestria e sabedoria espiritual.

Categoria: Potências

Príncipe: Camael.

Número de sorte: 9.

Mês de mudança: setembro.

Exerce domínio sobre: Escócia.

Planeta: Saturno.

Hortaliça: cará – nutriente.

Fruta: azeitona – depurativa.

Erva medicinal: jurubeba – tônica.

Cereal: semente de abóbora – nutriente.

Vela: rosa.

Metal: cobre.

Mineral: quartzo rosa.

Saúde: doenças agudas.

Essências: lavanda, hortelã e melissa.

Dia da semana: quinta-feira.

Chamado para: ter misericórdia.

Invocação:

Rehael, faze que tudo na minha vida corra bem.
Que eu nunca transfira meus problemas a outros.
Dá-me forças para eu mesmo realizar meus deveres,
Não sobrecarregando meus filhos.
Dá-me lucidez, Rehael, para tomar decisões
E chegar rapidamente às coisas espirituais.
Tenho necessidade de teu auxílio, Senhor,
Para aceitar esta mudança de valores.
Livra-me, Senhor, da tentação
De deixar este trabalho para outras gerações.

Ouve minha prece e faze que chegue a mim
O raio de tua suprema lucidez.

40 – IEIAZEL

Significado: Deus que dá alegria.
Hora favorável: das 13:00 às 13:20.
Data de nascimento: 14/02 – 28/04 – 10/07 – 21/09 – 03/12.
Salmo: 87.
Características: dá-nos consolo e inspiração nas artes e nos trabalhos científicos. Pessoa que se interessa por desenho, leitura e ciências. É o Anjo protetor da imprensa e das livrarias.
Gênio contrário: domina as más qualidades físicas e espirituais.
Carreira profissional: sucesso na área de artes, música, pintura (com o propósito de elevar a autoestima das pessoas e de libertá-las de carmas), escrita, edição e gráfica. Defensor da cultura, ser um bom novelista, conselheiro ou historiador também está presente em sua trajetória profissional. Faça seu pedido ao Anjo Ieiazel para que Ele ilumine sua essência com a sensibilidade e a sabedoria espiritual necessárias para que conduza os desafios profissionais com sucesso e renove as energias das pessoas à sua volta.
Categoria: Potências.
Príncipe: Camael.
Número de sorte: 4.
Mês de mudança: abril.
Exerce domínio sobre: Bélgica.
Planeta: Mercúrio.
Hortaliça: almeirão – vitamínica.
Fruta: jatobá – depurativa.
Erva medicinal: mentrasto – cólicas uterinas.
Cereal: cevada – nutriente.
Vela: azul.

Metal: ferro.
Mineral: turmalina-rosa.
Saúde: glândulas suprarrenais e aparelho reprodutor.
Essências: bergamota, erva-doce e sândalo (sistema reprodutor).
Dia da semana: terça-feira.
Chamado para: agir contra depressão e pânico.
Invocação:
Ieiazel, revela-me, Senhor, o sonho da razão;
Que a minha inteligência só tenha aspirações puras.
Que eu ofereça a esta sociedade
Uma visão equilibrada de teu reino.
Permita-me, Ieiazel, livrar-me
Dos inimigos interiores e exteriores;
De me separar de tudo que me mantém prisioneiro neste mundo;
Assim, por meio da minha alma,
Que eu espalhe e proclame teus altos feitos.
Quando a fonte de Deus jorrar em mim,
Permanece, Senhor, mais próximo dos homens,
Para que não vejam em mim um estranho;
Que me ouçam com confiança
E eu os conduza ao Eterno".

41 – HAHAHEL
Significado: Deus em três pessoas.
Hora favorável: das 13:20 às 13:40.
Data de nascimento: 15/02 – 29/04 – 11/07 – 22/09 – 04/12.
Salmo: 119.
Características: coragem e força para lutar contra obstáculos. Concentração para atingir objetivos. Proteção contra caluniadores.
Gênio contrário: pessoas de conduta escandalosa.
Carreira profissional: êxito na área de ensino, medicina, enfermagem, assistência social, psicologia, sociologia e esoterismo em geral. Poderá

ser também um grande missionário de alguma ordem religiosa. Faça seu pedido ao Anjo Hahahel para que Ele ilumine sua essência com bastante persistência, sabedoria espiritual, paciência e harmonia no coração para conduzir sua profissão com metas possíveis de serem realizadas.

Categoria: Virtudes.
Príncipe: Raphael.
Número de sorte: 10.
Mês de mudança: outubro.
Exerce domínio sobre: Irlanda.
Planeta: Júpiter.
Hortaliça: espinafre – antianêmico.
Fruta: mamão – desnutrição.
Erva medicinal: espinheira-santa – tônica.
Cereal: milho – nutriente.
Vela: branca.
Metal: ouro.
Mineral: turquesa.
Saúde: anemia.
Essências: limão, camomila e tomilho.
Dia da semana: quinta-feira.
Chamado para: agir contra os caluniadores.
Invocação:
Hahahel, transmita-me, Senhor, teu fôlego
Com força implacável, como o golpe de um machado,
A fim de que tua mensagem penetre violentamente em mim,
E que nenhuma gotícula do teu amor
Se perca nas frivolidades do mundo.
Ajuda-me para que este amor recebido de ti
Retorne às fontes enriquecido do amor humano,
Das minhas obras e dos meus sacrifícios.

Permita-me, Senhor, espalhar a tua pureza.
Mantém-me preso à tua luz,
Fazendo de mim o teu missionário perfeito.

42 – MIKAEL

Significado: Casa de Deus, virtude de Deus e semelhante a Deus.
Hora favorável: das 13:40 às 14:00.
Data de nascimento: 16/02 – 30/04 – 12/07 – 23/09 – 05/12.
Salmo: 120.
Características: segurança nas viagens, interesse na política e diplomacia.
Gênio contrário: traição e maledicências.
Carreira profissional: sucesso na área de política, diplomacia, ensino, tradução e administração de empresas, além de trabalho com pessoas ligadas a espetáculos, festas e cerimônias. Aposte no aprendizado de idiomas. Faça seu pedido ao Anjo Mikael para que Ele ilumine sua essência com infinitas experiências, diplomacia e espírito de liderança, conduzindo seu trabalho com êxito total.
Categoria: Virtudes.
Príncipe: Raphael.
Número de sorte: 11.
Mês de mudança: novembro.
Exerce domínio sobre: Canadá.
Planeta: Mercúrio.
Hortaliça: beterraba com mel – para tosse.
Fruta: limão – gripes e resfriados.
Erva medicinal: sete-sangrias – febre.
Cereal: grão-de-bico – nutriente.
Vela: branca.
Metal: prata.
Mineral: opala.
Saúde: gripes e resfriados.

Essências: benjoim, alecrim e cipreste.
Dia da semana: segunda-feira.
Chamado para: viajar com segurança.
Invocação:
Senhor Mikael, conceda-me o privilégio
De instituir na Terra a ordem que vigora no Céu.
Faze que minha inteligência compreenda o modo Divino
E guia-me para as circunstâncias
Que me permitirão exteriorizá-lo.
Que tua luz me ilumine para que eu a difunda.
Não me deixes ser atraído pelas coisas do mundo,
Mas faze de mim uma pessoa ávida pelos segredos cósmicos.
Não permitas, Senhor Mikael,
Que eu sirva a outros senhores além de ti,
Nem que deseje outro poder
A não ser o que vem diretamente do teu trono.
Mantém-me, Senhor, obediente a ti
E não me separes nunca do teu amor".

43 – VEULIAH
Significado: rei dominador.
Hora favorável: das 14:00 às 14:20.
Data de nascimento: 17/02 – 01/05 – 13/07 – 24/09 – 06/12.
Salmo: 87.
Características: traz prosperidade, sucesso nas causas justas e na carreira militar.
Gênio contrário: traz discórdia e destruição de nações.
Carreira profissional: êxito na área de administração de empresas, política, ciência, carreira militar, medicina e pesquisas científicas. Faça seu pedido ao Anjo Veuliah para que Ele o proteja de todas as vibrações energéticas e para que o conduza no caminho do bem, da prosperidade e da qualidade de vida.

Categoria: Virtudes.
Príncipe: Raphael.
Número de sorte: 12.
Mês de mudança: dezembro.
Exerce domínio sobre: Califórnia.
Planeta: Marte.
Hortaliça: couve – vitamínica.
Fruta: noz – debilidade orgânica.
Erva medicinal: estrondo – antirreumática.
Cereal: lentilha – energética.
Vela: azul.
Metal: ferro.
Mineral: hematita.
Saúde: articulações.
Essências: benjoim, camomila e limão.
Dia da semana: terça-feira.
Chamado para: destruir os inimigos, os vícios e a depressão.
Invocação:
Veuliah, faze que no meu íntimo resplandeça a luz
Para que meus sentimentos sigam a ordem universal.
Que o meu amor se alegre com tudo que é nobre e elevado.
Que minha energia interior
Se direcione aos objetivos sublimes.
Que meus sentimentos, Senhor Veuliah,
Possam se integrar harmoniosamente ao mundo mental,
Inspirados pela razão.
Se me ordenaste, Senhor, para ser teu guerreiro, livra-me do ódio e do rancor;
Que eu saiba sempre te servir com justiça
E reconstitua a virtude e a liberdade.
Senhor Veuliah, não permitas que me torne um tirano,
E sim um pulso forte para espalhar teu rigor.

44 – YELAIAH

Significado: Deus eterno.

Hora favorável: das 14:20 às 14:40.

Data de nascimento: 18/02 – 02/05 – 14/07 – 25/09 – 07/12.

Salmo: 118.

Características: coragem para vencer processos e enfrentar adversidades. Talento para a carreira militar e gosto por viagens.

Gênio contrário: comanda guerras.

Carreira profissional: sucesso na área de antropologia, sociologia, ciências humanas, história e carreira militar. Faça seu pedido ao Anjo Yelaiah para que Ele ilumine sua essência com criatividade e aguce sua sensibilidade para o bem-estar de todos.

Categoria: Virtudes.

Príncipe: Raphael.

Número de sorte: 6.

Mês de mudança: junho.

Exerce domínio sobre: México.

Planeta: Mercúrio.

Hortaliças: alcachofra – anti-inflamatória; batata – cistite e ovarite.

Fruta: melão – cistite e uretrite.

Erva medicinal: taboa – anti-inflamatória.

Cereal: painço – nutriente.

Vela: branca.

Metal: prata.

Mineral: ágata.

Saúde: distúrbios ginecológicos.

Essências: manjericão, erva-doce e camomila.

Dia da semana: sábado.

Chamado para: ganhar processos.

Invocação:

Yelaiah, se me escolheste como instrumento de tua justiça,

Guarda-me junto à tua luz e não permitas
Que meus sentimentos me impeçam de ser justo comigo mesmo.
Guia-me, Senhor, a me instruir em tuas leis
E a me conscientizar da organização do Cosmo.
Que tudo que eu conseguir seja inspirado em ti.

45 – SEALIAH

Significado: gerador de todas as coisas.
Hora favorável: das 14:40 às 15:00.
Data de nascimento: 19/02 – 03/05 – 15/07 – 26/09 – 08/12.
Salmo: 93.
Características: boa saúde, cura, facilidade de aprendizagem e bem-estar geral.
Gênio contrário: perturbações atmosféricas (secas, chuvas intensas etc.).
Carreira profissional: sucesso em atividades que permitam estar sempre em contato com as pessoas, pois seu lema de vida é ajudá-las da melhor maneira possível. Poderá ser em instituições de caridade ou na recuperação de indivíduos marginalizados pela sociedade. Faça seu pedido ao Anjo Sealiah para que Ele ilumine seus passos com alegria, determinação, fé e entusiasmo pela vida.
Categoria: Virtudes.
Príncipe: Raphael.
Número de sorte: 7.
Mês de mudança: julho.
Exerce domínio sobre: Quito.
Astro: Sol.
Hortaliça: batata – cefaleia.
Fruta: marmelo – depurativa.
Erva medicinal: folha-santa – tônica.
Cereal: milho – nutriente.
Vela: branca.
Metal: ouro.

Mineral: quartzo rutilado.

Saúde: sensibilidade na cabeça, rinite e sinusite.

Essências: alecrim, hortelã e manjericão.

Dia da semana: sexta-feira.

Chamado para: agir contra o orgulho e a maldade.

Invocação:

Sealiah, sinto-me como o sol,
Que quer espalhar seus raios no mundo,
E tu precisas me ajudar
Para que as virtudes não saiam de mim sem discernimento.
Que apenas aquilo que é útil à tua criação possa se espalhar.
Faze, Senhor Sealiah, que por meu intermédio
Encontrem plenitude todos aqueles
Movidos pelo desejo ardente de servir,
E faze também que, graças às minhas ações,
As boas sementes germinem.
Não permitas, ó Sealiah,
Que meu temperamento se exalte.
Dá-nos invernos e verões moderados.
Permita-me, Senhor, agir em conjunto com as leis cósmicas.

46 – ARIEL

Significado: Deus revelador.

Hora favorável: das 15:00 às 15:20.

Data de nascimento: 20/02 – 04/05 – 16/07 – 27/09 – 09/12.

Salmo: 144.

Características: sonhos proféticos, novas ideias, iluminação para resolver situações difíceis.

Gênio contrário: domina os homens inconsequentes.

Carreira profissional: êxito na área de recursos humanos, nos estudos sobre minerais, cristais e botânica e também no meio artístico. Faça seu pedido ao Anjo Ariel para que Ele desperte em sua essência os dons artísticos, a fim de que você possa trabalhá-los com destreza, e para que o conduza no caminho da paz, da serenidade e da justiça.

Categoria: Virtudes.

Príncipe: Raphael.

Número de sorte: 14.

Mês de mudança: maio.

Exerce domínio sobre: Paraguai.

Planeta: Saturno.

Hortaliça: manjericão – afecções das vias urinárias.

Fruta: abacaxi – cálculo renal.

Erva medicinal: cipó-prata – diurética.

Cereal: painço – afecções renais.

Vela: branca.

Metal: níquel.

Mineral: topázio.

Saúde: sensibilidade renal.

Essências: cedro, sândalo e pinho (rins).

Dia da semana: terça-feira.

Chamado para: descobrir tesouros ocultos.

Invocação:

Ariel, quero me separar das coisas materiais
Para, em liberdade, galgar os espaços infinitos;
Quero ultrapassar este mundo concreto e atingir a eternidade.
Revela-me, ó Senhor Ariel,
Todos os segredos escondidos em tua divindade,
Um a um, na mais perfeita ordem,
Para que minha inteligência frágil
Os assimile e os projete entre os homens.
Ilumina, Senhor, minha percepção
Para que me torne útil em tua obra,

Desvendando aos meus irmãos
Os tesouros mais profundos do meu ser.

47 – ASALIAH

Significado: Deus justo, que indica a verdade.
Hora favorável: das 15:20 às 15:40.
Data de nascimento: 21/02 – 05/05 – 17/07 – 28/09 – 10/12.
Salmos: 103/104.
Características: domínio sobre a justiça, caráter agradável e busca de conhecimento.
Gênio contrário: domina atos imorais.
Carreira profissional: sucesso na área de desenho, administração de empresas, ensino, oratória, cirurgia ou em qualquer atividade em que a destreza das mãos se faça presente. Faça seu pedido ao Anjo Asaliah para que Ele ilumine seu poder de comunicação e expressão e seus dons artísticos.
Categoria: Virtudes.
Príncipe: Raphael.
Número de sorte: 10.
Mês de mudança: outubro.
Exerce domínio sobre: Chile.
Planeta: Vênus.
Hortaliça: maxixe – prostatite.
Fruta: romã – mineralizante.
Erva medicinal: solidônia – anti-inflamatória.
Cereal: arroz integral e lentilha – energética.
Vela: branca.
Metal: cobre.
Mineral: turmalina-rosa.
Saúde: órgãos reprodutores.
Essências: calêndula, jasmim e melissa.

Dia da semana: sexta-feira.
Chamado para: atingir os objetivos.
Invocação:
Asaliah, estou abandonado as coisas materiais
E caminhando para a Terra Prometida.
Num passado remoto, fui guiado por ti como uma fiel marionete.
Agora, sou eu que quero estruturar o mundo
Segundo as experiências que de ti recebi.
Quero agir contigo, unindo-me a ti,
Deixando pegadas a todos os que vierem atrás de nós
E ajudando-os a descobrir gestos e palavras
De que precisam para compartilhar de tua obra.

48 – MIHAEL
Significado: Deus, pai caridoso.
Hora favorável: das 15:40 às 16:00.
Data de nascimento: 22/02 – 06/05 – 18/07 – 29/09 – 11/12.
Salmo: 97.
Características: paz e harmonia entre os casais, fidelidade conjugal, pressentimentos e inspirações em sonhos.
Gênio contrário: promove a discórdia, a esterilidade, a inconstância e o ciúme.
Carreira profissional: sucesso na área de relações públicas, trabalhos com associações comerciais, classe, política e advocacia. Seus dons artísticos poderão se manifestar quando você entrar em contato com a natureza. Faça seu pedido ao Anjo Mihael para que Ele o conduza no caminho da paz e desperte seu poder de expressão, além do sentimento de compaixão e justiça.
Categoria: Virtudes.
Príncipe: Raphael.
Número de sorte: 5.

Mês de mudança: maio.
Exerce domínio sobre: Japão.
Planeta: Vênus.
Hortaliça: alface – irritabilidade.
Fruta: melão – calmante e mineralizante.
Erva medicinal: lobeira – nervosismo.
Cereal: aveia – calmante.
Vela: rosa.
Metal: cobre.
Mineral: quartzo rosa.
Saúde: esgotamento nervoso.
Essências: sálvia, manjericão e jasmim.
Dia da semana: sábado.
Chamado para: promover paz, união entre os casais.
Invocação:
Mihael, permita-me, Senhor, transmitir a vida;
Faze que tudo floresça ao meu redor,
Põe em mim a boa semente para que tudo que germinar
Em mim seja digno do olhar Divino.
Quero, Senhor, que das minhas trevas brotem tua luz,
Que meu sacrifício seja fonte de vida.
Que eu saiba encontrar as fontes de água profunda
E faça jorrar na terra árida dos homens
Tua água Divina que emana do Criador.

49 – VEHUEL
Significado: Deus grandioso e sublime.
Hora favorável: das 16:00 às 16:20.
Data de nascimento: 23/02 – 07/05 – 19/07 – 30/09 – 12/12.
Salmo: 144.
Características: talento, virtuosidade, sensibilidade e generosidade.

Gênio contrário: egoísmo, ódio e hipocrisia.

Carreira profissional: êxito na área de escrita e em organizações empresariais em virtude de seu senso crítico, além de sucesso nas artes e em atividades culturais. Faça seu pedido ao Anjo Vehuel para que Ele ilumine sua essência com a energia da comunicação oral e escrita com maestria, além de lhe trazer muita sabedoria intelectual e espiritual.

Categoria: Principados.

Príncipe: Haniel.

Número de sorte: 3.

Mês de mudança: março.

Exerce domínio sobre: Filipinas.

Planeta: Mercúrio.

Hortaliça: aspargo – abre o apetite.

Fruta: morango – neurotônica.

Erva medicinal: congonha-de-bugre – nutriente.

Cereal: cevada – nutriente.

Vela: branca.

Metal: prata.

Mineral: coral.

Saúde: problemas agudos, mas de rápida resolução.

Essências: hortelã, cânfora e melissa.

Dia da semana: terça-feira.

Chamado para: demonstrar admiração ao reino celestial.

Invocação:

Senhor Vehuel, faze que eu aspire
Somente àquilo que é nobre, grandioso
E digno de teu santo nome.
Permita-me, Senhor, chegar até ti, levando comigo todos os que de mim se aproximem;
Deixa-me sentir o perfume de tua transcendência.

Guia meus passos para as montanhas, não para os vales,
Para os picos inacessíveis, acima das nuvens,
Para a abóbada celeste.
Faze brilhar em mim as virtudes,
Não para que eu me envaideça,
Mas para testemunhar, Senhor,
Tua presença resplandecente.
Não permitas jamais que os meus atos
Empanem tua divindade radiosa.

50 – DANIEL

Significado: Símbolo da misericórdia, o Anjo das confissões.
Hora favorável: das 16:20 às 16:40.
Data de nascimento: 24/02 – 08/05 – 20/07 – 01/10 – 13/12.
Salmo: 102.
Características: faz renovar as esperanças, tem domínio sobre a justiça e indica o melhor caminho a seguir.
Gênio contrário: domina os ociosos.
Carreira profissional: sucesso nas atividades relacionadas ao comércio exterior ou a empresas internacionais, além de êxito em oratória, política e artes cênicas. Faça seu pedido ao Anjo Daniel para que Ele ilumine seus caminhos com muita persistência, objetividade, comunicação e expressão, senso crítico, determinação e, sobretudo, humildade em suas atitudes.
Categoria: Principados.
Príncipe: Haniel.
Número de sorte: 5.
Mês de mudança: maio.
Exerce domínio sobre: os samaritanos.
Satélite: Lua.
Hortaliça: alcachofra – diabete.

Fruta: amêndoa – diabete e anemia.

Erva medicinal: agrião – hipotireoidismo.

Cereal: trigo – vitamínico.

Vela: amarela.

Metal: prata.

Mineral: safira.

Saúde: diabete, hipotireoidismo.

Essências: calêndula, manjerona e benjoim.

Dia da semana: sexta-feira.

Chamado para: ter inspiração e tomar decisão.

Invocação:

Daniel, incute em mim a virtude de rejuvenescer,
Com meu entusiasmo, os seres e as coisas;
Faze, Senhor, que eu revele aos outros
O potencial adormecido deles e que lhes apresente
O nascer de novas ilusões e esperanças.
Que por mim se descubra a graça e o perfume da eternidade,
E que também me seja revelado
O efeito fulminante dos recursos morais
Para mudar situações aparentemente insolúveis.
Que eu possa, Senhor, tirar das pessoas
Suas dúvidas e hesitações, oferecendo-lhes novas perspectivas
E fazendo-as confiar na tua justiça.
Permita-me, Senhor, que encontrem em mim consolo e conforto,
Sobretudo aqueles que passaram por períodos difíceis.

51 – HAHASIAH

Significado: Deus oculto.

Hora favorável: das 16:40 às 17:00.

Data de nascimento: 25/02 – 09/05 – 21/07 – 02/10 – 14/12.

Salmo: 103.

Características: domina a química e a física, auxilia na revelação de mistérios ocultos e na cura das enfermidades. Pessoa bem-sucedida na medicina.
Gênio contrário: ilusão de outras pessoas.
Carreira profissional: êxito na área de medicina, pesquisas e invenções em benefício da humanidade, ciências abstratas, exatas e biológicas. Faça seu pedido ao Anjo Hahasiah para que Ele lhe inspire as melhores soluções e tomadas de atitude em sua carreira e também o estimule com grandes invenções.
Categoria: Principados.
Príncipe: Haniel.
Número de sorte: 10.
Mês de mudança: outubro.
Exerce domínio sobre: os barsiens.
Satélite: Lua.
Hortaliça: tomate – reumatismo.
Fruta: pêssego – dores reumáticas.
Erva medicinal: dente-de-leão – afecções ósseas.
Cereal: feijão – nutriente.
Vela: rosa.
Metal: ouro.
Mineral: citrino.
Saúde: luxações e dores nos ossos.
Essências: benjoim, tomilho e sálvia.
Dia da semana: sábado.
Chamado para: descobrir mistérios por meio da consciência.
Invocação:
Hahasiah, ó Eterno!
Se fui escolhido por ti para ser teu braço justiceiro
E executante de tua providência,
Dá-me tua ajuda para suportar o peso dos meus pecados.

Instrui-me, Senhor, sobre teus desejos ocultos,
Não faças de mim um instrumento cego;
Ao contrário, que minha consciência
Se encontre sempre iluminada por ti.

52 – IMAMAIAH

Significado: Deus acima de todas as coisas.

Hora favorável: das 17:00 às 17:20.

Data de nascimento: 26/02 – 10/05 – 22/07 – 03/10 – 15/12.

Salmo: 7.

Características: abandono dos vícios, proteção nas viagens, paciência, coragem, temperamento firme e sabedoria para suportar as adversidades.

Gênio contrário: brigas e grosserias.

Carreira profissional: sucesso na área de arquitetura, construção civil, engenharia, administração e artesanato. Faça seu pedido ao Anjo Imamaiah para que Ele ilumine sua essência com harmonia, serenidade, desperte seus dons artísticos e o conduza no caminho da paz, do bem e da abundância.

Categoria: Principados.

Príncipe: Haniel.

Número de sorte: 12.

Mês de mudança: dezembro.

Exerce domínio sobre: os melindais.

Planeta: Júpiter.

Hortaliça: chicória – aparelho digestivo.

Fruta: maracujá – ansiedade, insônia e nervosismo.

Erva medicinal: jarrinha – antisséptica e para afecções gástricas em geral.

Cereal: arroz – depurativo.

Vela: rosa.

Metal: ouro.

Mineral: lápis-lazúli.

Saúde: sistema nervoso e aparelho digestivo.
Essências: rosa, flor de laranjeira e camomila (irritabilidade).
Dia da semana: segunda-feira.
Chamado para: destruir os inimigos e proteger as viagens.
Invocação:
Imamaiah, faze que meus inimigos compreendam
Que não faço parte do mundo deles, pois fui abençoado por ti.
Livra-me, Senhor, do meu passado profano
E ajuda-me a retornar às moradas celestiais
Para depois vir a este mundo revestido de tua graça
E construir o Novo Éden.
Quero ser o operário consciente da construção de teu mundo,
O edificador iluminado de teu santuário.

53 – NANAEL

Significado: Deus que abate os orgulhosos.
Hora favorável: das 17:20 às 17:40.
Data de nascimento: 27/02 – 11/05 – 23/07 – 04/10 – 16/12.
Salmo: 118.
Características: rejuvenescimento físico e espiritual, meditação e introspeção.
Gênio contrário: ignorância.
Carreira profissional: sucesso na área de importação e exportação, diplomacia, intercâmbio cultural e tecnológico. Faça seu pedido ao Anjo Nanael para que Ele ilumine sua essência com conhecimentos tecnológicos e o inspire nos estudos de idiomas, além de promover paz interior e espiritual.
Categoria: Principados.
Príncipe: Haniel.
Número de sorte: 6.
Mês de mudança: junho.

Exerce domínio sobre: o idioma maltês.

Planeta: Saturno.

Hortaliça: alface – reumatismo e ossos.

Fruta: melão – mineralizante.

Erva medicinal: douradinha – reumatismo e coração.

Cereal: centeio – energético.

Vela: branca.

Metal: ferro.

Mineral: pérola.

Saúde: disfunções circulatórias, reumatismo e dores ciáticas.

Essências: lavanda, eucalipto e limão (reumatismo).

Dia da semana: sábado.

Chamado para: proteger professores e magistrados.

Invocação:

Nanael, ensina-me, Senhor, tua ordem Divina,
Mostra-me a engrenagem da tua justiça;
Revela-me as particularidades de tuas leis
Para que possa ser nesta Terra
O executante de teu sublime mandato.
Ajuda-me, Nanael, a encontrar um local propício
Onde nos comuniquemos.
Lá estabelecerei o Santuário,
Lá quero honrar o Eterno,
Lá quero construir a escada de 72 degraus
Por meio dos quais as hierarquias divinas possam subir e descer.
Lá poderei engendrar as 12 tribos divinas
Que devem estabelecer no mundo teu reino messiânico.
Nanael, não permitas que tua luz me cegue,
Me tornando orgulhoso e insolente.
Quero sempre ser um artesão humilde do teu desejo.

54 – NITHAEL

Significado: Rei dos Céus.

Hora favorável: das 17:40 às 18:00.

Data de nascimento: 28-29/02 – 12/05 – 24/07 – 05/10 – 17/12.

Salmo: 102.

Características: vida longa, proteção contra acidentes, estabilidade no emprego e virtuosidade.

Gênio contrário: revoluções e conspirações.

Carreira profissional: sucesso na área de direito, medicina e política. Poderá ser um empresário próspero, gerando emprego para muitas pessoas e familiares. Área religiosa também muito favorecida. Faça seu pedido ao Anjo Nithael para que Ele ilumine seus caminhos com a energia da luz, da força interior, do poder de escrita e da inteligência espiritual e para que conduza seus propósitos com praticidade.

Categoria: Principados.

Príncipe: Haniel.

Número de sorte: 5.

Mês de mudança: maio.

Exerce domínio sobre: os zaflaniens (nome dado por Paracelso a uma qualidade de Anjo).

Planeta: Júpiter.

Hortaliça: batata-doce – anemia.

Fruta: tâmara – anemia.

Erva medicinal: cipó-cabeludo – dores nas costas.

Cereal: broto de feijão – ferro.

Vela: amarela.

Metal: ferro.

Mineral: olho-de-tigre.

Saúde: anemia e coluna vertebral.

Essências: camomila, tomilho e limão.

Dia da semana: sexta-feira.

Chamado para: pedir longevidade e a estabilidade das empresas.

Invocação:

Nithael, infunde em mim
A compreensão da transitoriedade das coisas.
Não permitas, Senhor, que me identifique
Com a glória que vem de ti, nem que considere como meus
Os poderes que me ofertaste.
Quero ser, Senhor, o ator de tua obra.
Na opulência e no despojamento, na riqueza e na miséria,
Permita-me permanecer fiel ao caminho traçado por ti.
Ajuda-me, Nithael, a conservar o desejo
Só daquilo que é essencial.

55 – MEBAHIAH

Significado: Deus eterno.

Hora favorável: das 18:00 às 18:20.

Data de nascimento: 01/03 – 13/05 – 25/07 – 06/10 – 18/12.

Salmo: 101.

Características: fecundidade, piedade e o bem.

Gênio contrário: inimigos da verdade.

Carreira profissional: êxito na área de recursos humanos e cultura. Mestre na alquimia. Faça seu pedido ao Anjo Mebahiah para que Ele ilumine sua trajetória com muita sensibilidade, compreensão, paciência, ousadia e, sobretudo, consciência emocional e espiritual.

Categoria: Principados.

Príncipe: Haniel.

Número de sorte: 8.

Mês de mudança: agosto.

Exerce domínio sobre: povo de Ormuz.

Planeta: Júpiter.

Hortaliça: aspargo – cardiotônica.
Fruta: pitanga – insônia e ansiedade.
Erva medicinal: boldo – insônia.
Cereal: broto de alfafa – mineralizante.
Vela: rosa.
Metal: cobre.
Mineral: rubelita ou granada.
Saúde: sistema cardiovascular, hérnia, hipertensão, stress e ansiedade.
Essências: hissopo, manjerona e zimbro (stress).
Dia da semana: sábado.
Chamado para: proteção.
Invocação:
Mebahiah, dá-me, Senhor, a força física de um Sansão,
Para transportar sobre meus ombros
Tua eterna verdade, nesta peregrinação terrena.
Que a minha força física seja como tua força moral;
Que encontres em mim uma peça útil para tua obra.
Quero ser, Mebahiah, o ferreiro, o carpinteiro,
O pedreiro, o que elabora as pequenas coisas
Que permitem a verdade acomodar-se
E tomar lugar na matéria;
Concedendo que se estabeleça na morada dos homens.

56 – POIEL

Significado: Deus que sustenta o Universo.
Hora favorável: das 18:20 às 18:40.
Data de nascimento: 02/03 – 14/05 – 26/07 – 07/10 – 19/12.
Salmo: 144.
Características: Anjo da fortuna, da filosofia e da fama, concedendo-nos tudo o que for pedido. Pessoas com modéstia, humildade, bom humor e sucesso financeiro.

Gênio contrário: orgulho e ambição.

Carreira profissional: êxito em terras estrangeiras, pois apresenta facilidade de compreensão de diferentes idiomas, além dos mais variados usos e costumes. Tendência a trabalhar em rituais de alta magia com a prática do bem em ação. Faça seu pedido ao Anjo Poiel para que Ele ilumine seus caminhos com a energia da sabedoria espiritual, paz e força interior e para que lhe proporcione cada vez mais conhecimento intelectual.

Categoria: Principados.

Príncipe: Haniel.

Número de sorte: 10.

Mês de mudança: outubro

Exerce domínio sobre: os habitantes de Áden (Iêmen).

Astro: Sol.

Hortaliça: couve-flor – mineralizante.

Fruta: manga – vitamínica.

Erva medicinal: quebra-pedra – abre o apetite.

Cereal: painço – nutriente.

Vela: branca.

Metal: ouro.

Mineral: pirita.

Saúde: ingestão de alimentos.

Essências: patchuli, mirra e melissa (rejuvenescimento).

Dia da semana: terça-feira.

Chamado para: vencer demandas e adquirir prestígio e fortuna.

Invocação:

Poiel, quero que meus lábios exprimam, Senhor,
Somente o que é digno;
Que minha palavra mostre àqueles que me ouvem
A profundidade de tua obra;
Quero que, como eu em ti encontro apoio,

Outros também o encontrem.
Verifica, Senhor, minha palavra.
Com ela abra perspectivas e ilumine os abismos.
Que por meu intermédio tuas virtudes mais elevadas se exprimam.
Faze-me, Senhor Poiel, o construtor nesta terra da Cidade Eterna,
Da Jerusalém que tu edificaste no céu.

57 – NEMAMIAH

Significado: Deus encantador.
Hora favorável: das 18:40 às 19:00.
Data de nascimento: 03/03 – 15/05 – 27/07 – 08/10 – 20/12.
Salmo: 113.
Características: prosperidade, sonhos proféticos e lucidez.
Gênio contrário: traição.
Carreira profissional: sucesso na área da política (liderança de partidos, entidades sindicais ou empresariais) e êxito na participação de desfiles (também carnavalescos) e fanfarras escolares, pois sua autoestima é bastante elevada. Tendência também a ser um ótimo contador de anedotas, histórias infantis e chargista. Faça seu pedido ao Anjo Nemamiah para que Ele ilumine seus caminhos com a magia da criatividade e da inovação e desperte sempre alegria e entusiasmo em sua alma.
Categoria: Arcanjos.
Príncipe: Mikael.
Número de sorte: 10.
Mês de mudança: outubro.
Exerce domínio sobre: os cirineus (povo da Grécia antiga).
Planeta: Marte.
Hortaliça: gengibre – amigdalite.
Fruta: acerola – gripes e resfriados.
Erva medicinal: língua-de-vaca – tônica.

Cereal: broto de alfafa – ferro.

Vela: verde.

Metal: ferro.

Mineral: amazonita.

Saúde: cordas vocais.

Essências: bergamota, eucalipto e manjericão.

Dia da semana: sábado.

Chamado para: ajudar a prosperar.

Invocação:

Nemamiah, se devo dirigir a estratégia
Das batalhas desta vida,
Que o amor e a bondade sejam meus objetivos, Senhor.
Ajuda-me, Nemamiah, a não desejar nada,
A não ser construir nesta Terra o modelo que já existe no Céu.
Dá-me coragem para enfrentar minhas responsabilidades
E lucidez para fazer as coisas em tempo hábil,
Sem precipitações e falhas.
Quero lutar pela Terra Prometida,
Mas guarda-me, Senhor,
Da tentação de ousar chegar lá antes de meus irmãos.

58 – IEIALEL

Significado: Deus que ouve as gerações.

Hora favorável: das 19:00 às 19:20.

Data de nascimento: 04/03 – 16/05 – 28/07 – 09/10 – 21/12.

Salmo: 6.

Características: cura de doenças, principalmente nos olhos. Pessoa valente e franca.

Gênio contrário: domina a maldade, a cólera e os homicídios.

Carreira profissional: êxito na área da decoração em geral, comercializando ou fabricando produtos de ferro. Poderá também ter participação ativa contra os armamentos nucleares e utilizar todos os argumentos para defender suas ideias. Faça seu pedido ao Anjo Ieialel para que Ele ilumine seus caminhos com muita fé, perseverança, dedicação, poder de escolha e para que desperte cada vez mais o seu senso da criação.

Categoria: Arcanjos.
Príncipe: Mikael.
Número de sorte: 9.
Mês de mudança: setembro.
Exerce domínio sobre: os alanitas (povo bárbaro de origem asiática que no século v invadiu e dominou a Gália e a península Ibérica).
Planeta: Marte.
Hortaliça: chicória – calmante.
Fruta: caqui – insônia e irritabilidade.
Erva medicinal: poejo – sistema nervoso.
Cereais: soja – calmante; semente de abóbora – ferro.
Vela: amarela.
Metal: ferro.
Mineral: granada.
Saúde: mau humor e irritabilidade.
Essências: flor de laranjeira, rosa e lavanda.
Dia da semana: segunda-feira.
Chamado para: tirar a tristeza.
Invocação:
Ieialel, arma meu braço, Senhor,
Para que eu construa com o olhar fixo na eternidade.
Que minhas edificações
Abriguem a felicidade dos homens.
Coloca minha inteligência
A serviço das necessidades reais das pessoas.
Que o meu combate sempre tenha

Um objetivo útil à comunidade a que pertenço.
Guarda-me, Senhor, da violência,
Que eu seja capaz de ceder, não de destruir.
Das alturas onde estás, Senhor, lembra-te de mim.

59 – HARAHEL

Significado: Deus conhecedor de todas as coisas.
Hora favorável: das 19:20 às 19:40.
Data de nascimento: 05/03 – 17/05 – 29/07 – 10/10 – 22/12.
Salmo: 112.
Características: fecundidade, encontro de objetos perdidos, pagamento de dívidas atrasadas e filhos obedientes.
Gênio contrário: incêndios e fraudes.
Carreira profissional: sucesso na área de finanças, administração, biologia (reprodução de plantas e animais). Oportunidade positiva de ganhar uma bolsa de estudos para que possa conduzir melhor seus dons intelectuais. Faça seu pedido ao Anjo Harahel para que Ele ilumine sua trajetória com muito conhecimento intelectual, emocional, espiritual e que não perca as oportunidades que a vida irá lhe oferecer. Desperte também a garra e a dedicação em suas atitudes.
Categoria: Arcanjos.
Príncipe: Mikael.
Número de sorte: 7.
Mês de mudança: julho.
Exerce domínio sobre: Mesopotâmia (hoje Iraque).
Astro: Sol.
Hortaliça: pepino – emoliente.
Fruta: mamão – laxante.
Erva medicinal: salsaparrilha – afecções da pele.
Cereal: broto de alfafa – miotônico.
Vela: verde.
Metal: ouro.

Mineral: âmbar.
Saúde: tendência a engordar e acne.
Essências: cedro, cânfora e lavanda (para acne).
Dia da semana: sábado.
Chamado para: os órgãos reprodutores.
Invocação:
Harahel, se eu mereço receber todo o ouro do céu,
Arma-me com o desejo de investi-lo
Na promoção de teu reino.
Dá-me, Harahel, a sabedoria
Para utilizar esse ouro para que a vida na Terra
Se torne cada vez mais fácil.
Dá-me o prazer e o entusiasmo de servir,
A vontade firme e decidida de ser o administrador
Da tua bondade e das necessidades dos homens.

60 – MITZRAEL
Significado: Deus, alívio dos oprimidos.
Hora favorável: das 19:40 às 20:00.
Data de nascimento: 06/03 – 18/05 – 30/07 – 11/10 – 23/12.
Salmo: 144.
Características: cura de doenças mentais, fidelidade, obediência, vida longa e bom humor.
Gênio contrário: insubordinação.
Carreira profissional: sucesso na área de botânica, jardinagem, bioquímica, farmácia, floricultura e ecologia, além de apresentar talento para a literatura. Faça seu pedido ao Anjo Mitzrael para que Ele lhe inspire as melhores escolhas em sua trajetória existencial e para que você faça a diferença por onde passar com a magia da sabedoria, conhecimento e consciência espiritual.
Categoria: Arcanjos.

Príncipe: Mikael.
Número de sorte: 10.
Mês de mudança: outubro.
Exerce domínio sobre: os povos do Tibete.
Satélite: Lua.
Hortaliça: repolho – cefaleia, nevralgia e dentes.
Fruta: cidra – cefaleia.
Erva medicinal: confrei – vias respiratórias.
Cereal: ervilha – tônico.
Vela: branca.
Metal: prata.
Mineral: opala.
Saúde: cabeça, visão, rinite ou sinusite.
Essências: pinho, manjericão e hortelã.
Dia da semana: terça-feira.
Chamado para: fidelidade e obediência.
Invocação:
Mitzrael, limpa os canais do meu corpo
Para que tuas energias possam circular sem obstáculos.
Faze, Senhor, que eu viva num nível elevado,
Criando ao meu redor a divina harmonia
Que me chega de ti.
Não permitas que meu talento
Esteja acima da minha virtude,
Para que eu possa servir de exemplo.
Que eu permaneça fiel a ti: que meus gestos
E minhas palavras reflitam a vida no Universo.

61 – UMABEL

Significado: Deus acima de todas as coisas.
Hora favorável: das 20:00 às 20:20.

Data de nascimento: 07/03 – 19/05 – 31/07 – 12/10 – 24/12.
Salmo: 112.
Características: amizade, sensibilidade extrema e viagens.
Gênio contrário: domina os libertinos.
Carreira profissional: sucesso na área de psicologia (principalmente infantil), literatura (romance, poesia), astrologia, astronomia, física e oráculos. Faça seu pedido ao Anjo Umabel para que Ele ilumine seus caminhos com muita paz e sabedoria espiritual, compreensão, entendimento, flexibilidade e para que Ele desperte seus dons poéticos.
Categoria: Arcanjos.
Príncipe: Mikael.
Número de sorte: 7.
Mês de mudança: julho.
Exerce domínio sobre: os antigos bé thuliens (os filhos dos "Filhos do Sol"; esse termo pertence a um período em que os judeus dividiram-se em adoradores do Sol e da Lua).
Planeta: Vênus.
Hortaliça: rúcula – vitamínica.
Fruta: marmelo – nutriente.
Erva medicinal: maria-preta – dores em geral.
Cereal: cevada – energético.
Vela: verde.
Metal: cobre.
Mineral: quartzo rosa.
Saúde: tendinite e articulações.
Essências: eucalipto, calêndula e cânfora (dores e distensões).
Dia da semana: sábado.
Chamado para: favorecer os estudos de astrologia, psicologia e esoterismo.
Invocação:
Umabel, que minhas paixões sejam amá-lo e bendizê-lo.
Que meu desejo maior seja edificar teu reino.

Que eu o encontre sempre dentro do meu íntimo.
Tu és, Senhor, meu passado e meu futuro,
E a única causa do meu sofrimento
Será a perda do teu amor.
Não te afastes de mim, ama-me
Para que eu de ti me aproxime, à procura de um amigo.
Que toda a minha vida se resuma
A este desejo ardente e desmedido de ti.

62 – IAH-HEL

Significado: Ser supremo.
Hora favorável: das 20:20 às 20:40.
Data de nascimento: 08/03 – 20/05 – 01/08 – 13/10 – 25/12.
Salmo: 118.
Características: evidência da verdade, compreensão, tranquilidade, virtuosidade e busca da sabedoria.
Gênio contrário: provoca divórcios e escândalos.
Carreira profissional: êxito como professor de ginástica e outros esportes, atleta, proprietário de academia, além de sucesso na área de política (liderança de partido ou de governo), administração e como empresário e economista. Faça seu pedido ao Anjo Iah-Hel para que Ele ilumine sua estrada existencial com a energia da fé e espírito empreendedor, desperte em você a magia da sabedoria intelectual e para que você se interesse cada vez mais por ela.
Categoria: Arcanjos.
Príncipe: Mikael.
Número de sorte: 6.
Mês de mudança: junho.
Exerce domínio sobre: o idioma dos antigos carmaniens (celebradores das festas consagradas).
Planeta: Saturno.

Hortaliça: berinjela – digestiva.
Fruta: jatobá – abre o apetite.
Erva medicinal: cipó-de-são-joão – debilidade orgânica.
Cereal: grão-de-bico – nutriente.
Vela: branca.
Metal: níquel.
Mineral: âmbar.
Saúde: sistema nervoso.
Essências: sândalo, rosa e camomila.
Dia da semana: sábado.
Chamado para: pedir sabedoria e proteger contra a violência.
Invocação:
Iah-Hel, vivifica-me, Senhor.
Faze com que a corrente de teu pensamento
Circule no meu cérebro e o regenere.
Que teu coração bata em sintonia com o meu.
Que meu gesto seja o teu gesto,
Minha palavra a tua palavra.
Não permitas que a minha imaginação se exalte
Me levando a desejar outra coisa
A não ser compreender a maravilhosa
Máquina do mundo criada pelo Eterno.
Encontra-me, Senhor, um lugar
Para te exaltar e te celebrar
Ou onde possa manter contigo
Uma sintonia permanente.

63 – ANAUEL
Significado: Deus infinitamente bom.
Hora favorável: das 20:40 às 21:00.
Data de nascimento: 09/03 – 21/05 – 02/08 – 14/10 – 26/12.

Salmo: 2.

Características: cura de enfermidades, proteção contra acidentes e prosperidade profissional.

Gênio contrário: loucura ou derrota.

Carreira profissional: sucesso na área de antropologia, paleontologia, filosofia esotérica e escritos sobre a vida de Jesus Cristo. Poderá ter sucesso em qualquer carreira profissional que deseje em virtude de sua flexibilidade. Faça seu pedido ao Anjo Anauel para que Ele desperte a sensibilidade em suas ações, atitudes e para que lhe proporcione as melhores escolhas nessa área de sua vida, com a finalidade de promover o bem-estar pessoal e social.

Categoria: Arcanjos.

Príncipe: Mikael.

Número de sorte: 13.

Mês de mudança: abril.

Exerce domínio sobre: Camboja.

Planeta: Mercúrio.

Hortaliça: acelga – nutriente.

Fruta: pera – cistite.

Erva medicinal: macela-do-campo – distúrbios menstruais e suprarrenais.

Cereal: arroz integral – nutriente.

Vela: azul.

Metal: ferro.

Mineral: coral.

Saúde: glândulas suprarrenais e aparelho reprodutor.

Essências: sálvia, cipreste e gerânio.

Dia da semana: terça-feira.

Chamado para: trazer espiritualidade e sabedoria.

Invocação:

Anauel, permita-me executar meus objetivos morais.

Faze com que me coloque
A serviço de uma sociedade humana e fraterna.
Que tudo funcione comigo como no Céu,
Para que minha harmonia estimule os outros.
Torna-me sensato, para que nada perca de minhas economias
Em trabalhos inúteis.
Quero financiar a perfeição que representas
E que me envies, Senhor,
Os projetos onde efetuar meus investimentos
E o ouro se transformar em luz.

64 – MEHIEL

Significado: Deus que dá vida a todas as coisas.
Hora favorável: das 21:00 às 21:20.
Data de nascimento: 10/03 – 22/05 – 03/08 – 15/10 – 27/12.
Salmo: 32.
Características: conforto diante das adversidades e inspiração literária.
Gênio contrário: falsos sábios.
Carreira profissional: sucesso na área de jornalismo, redação, escrita, relações públicas, divulgação ou comercialização de livros. Faça seu pedido ao Anjo Mehiel para que Ele desperte em você a magia da comunicação oral e escrita, sensibilidade para lidar com as pessoas a sua volta, além de lhe favorecer a sabedoria espiritual.
Categoria: Arcanjos.
Príncipe: Mikael.
Número de sorte: 5.
Mês de mudança: maio.
Exerce domínio sobre: Mongólia.
Planeta: Mercúrio.
Hortaliça: rabanete – resfriados.
Fruta: tangerina – vitamínica.

Erva medicinal: tanchagem – vias respiratórias.
Cereal: cevada – depurativa.
Vela: verde.
Metal: cobre.
Mineral: esmeralda.
Saúde: sensibilidade no nariz e rinites alérgicas.
Essências: sândalo, eucalipto e limão.
Dia da semana: segunda-feira.
Chamado para: agir contra acidentes e as inimizades.
Invocação:
Mehiel, espero de ti, Senhor, que utilize meus talentos
Na instrução dos homens sobre as verdades eternas.
Tudo que adquiri na vida
Coloco a tua disposição, para despertar aqueles
Que se encontram com a fé adormecida.
Minha única ambição é transmitir aos meus irmãos
A beleza do Universo.
Não é uma tarefa fácil,
E eu só posso desempenhá-la bem contigo, Senhor,
Com teu apoio e inspiração.
Abro meu coração e minha inteligência para ti.
Deposita neles tua semente Divina.

65 – DAMABIAH

Significado: Deus, fonte de sabedoria.
Hora favorável: das 21:20 às 21:40.
Data de nascimento: 11/03 – 23/05 – 04/08 – 16/10 – 28/12.
Salmo: 89.
Características: sabedoria, êxito nos negócios, protege tudo o que é relativo ao mar.
Gênio contrário: tempestades e naufrágios.

Carreira profissional: sucesso vinculado à área da política ou justiça, pois seu espírito empreendedor é fantástico. Êxito na realização de trabalhos variados onde seja necessário um ajudante especial, facilidade no estudo de idiomas e oportunidade de viajar para vários países. Faça seu pedido ao Anjo Damabiah para que Ele ilumine sua essência com a energia do bem, da paz espiritual e forneça as melhores oportunidades para você colocar em prática suas ideias empreendedoras.

Categoria: Anjos.

Príncipe: Gabriel.

Número de sorte: 7.

Mês de mudança: julho.

Exerce domínio sobre: os gimnossofistas (ascetas indianos de grandes poderes místicos).

Satélite: Lua.

Hortaliça: rábano – para dores.

Fruta: amora – dores ósseas.

Erva medicinal: taboa – inflamações locais e debilidade orgânica.

Cereal: arroz – nutriente.

Vela: azul.

Metal: prata.

Mineral: hematita.

Saúde: sensibilidade nos pés.

Essências: cipreste, pinho e sálvia.

Dia da semana: sábado.

Chamado para: afastar os presságios negativos.

Invocação:

Damabiah, quero conhecer, Senhor,
Teu segredo da mistura entre o fogo e a água.
Quero que me ensines a construir com o fogo e a água
O grande saber do rei Salomão.
Quero que esses conhecimentos preencham meu íntimo

Para nele brotar um mar calmo e tranquilo,
Gerador de força espiritual.
Senhor, abriga-me das paixões desmedidas
E faze-me cidadão do teu Universo de harmonia.

66 – MANAKEL

Significado: Deus que apoia e mantém todas as coisas.
Hora favorável: das 21:40 às 22:00.
Data de nascimento: 12/03 – 24/05 – 05/08 – 17/10 – 29/12.
Salmo: 37.
Características: protege o sono e os sonhos, elimina a insônia e dá amabilidade.
Gênio contrário: más qualidades físicas e morais.
Carreira profissional: êxito na área de música, poesia e trabalhos com elementais da natureza. Você estará sempre entusiasmado para qualquer atividade, pois aposta muito em suas próprias habilidades. Fique atento às oportunidades da vida. Faça seu pedido ao Anjo Manakel para que Ele o inspire a abraçar variados trabalhos com o propósito de transformar a essência das pessoas para melhor e, sobretudo, para que desperte em você a sabedoria intelectual e espiritual.
Categoria: Anjos.
Príncipe: Gabriel.
Número de sorte: 7.
Mês de mudança: julho.
Exerce domínio sobre: os brâmanes (a mais alta casta hindu).
Planeta: Netuno.
Hortaliça: cenoura – erupções cutâneas.
Fruta: abacate – inflamações da pele.
Erva medicinal: bálsamo da horta – torções.
Cereal: broto de arroz – magnésio.
Vela: branca.

Metal: magnésio.
Mineral: ametista.
Saúde: doenças da pele.
Essências: benjoim, gerânio e lavanda.
Dia da semana: quarta-feira.
Chamado para: acalmar e influenciar na poesia e na música.
Invocação:
Manakel, Senhor que transforma as trevas em luz,
Ajuda-me a sair da escuridão.
Permita que eu progrida e livra-me dos laços materiais.
Ajuda-me a descobrir, ó Senhor,
O que há de transcendente em minha alma.
Que Deus seja benevolente com seus servos
E que os livre de suas enfermidades.
Ajuda-me a ser amável e gentil,
Ilumina a minha intuição para entender
As mensagens que me envias em sonhos.
Permita que me separe
Das más qualidades físicas e morais.

67 – AYAEL
Significado: Deus, alegria dos filhos dos homens.
Hora favorável: das 22:00 às 22:20.
Data de nascimento: 13/03 – 25/05 – 06/08 – 18/10 – 30/12.
Salmo: 36.
Características: sabedoria, vida longa, influência sobre as ciências ocultas e consolo.
Gênio contrário: erros e preconceitos.
Carreira profissional: sucesso na área comercial. Estará sempre assumindo novos cargos, os quais lhe propiciarão fabulosas experiências de vida e o tornarão cada vez mais feliz com o que executa. Faça seu

pedido ao Anjo Ayel para que Ele ilumine seu caminho existencial com as melhores escolhas e promova sempre aprendizado de vida nessa área de sua existência.

Categoria: Anjos.
Príncipe: Gabriel.
Número de sorte: 4.
Mês de mudança: abril.
Exerce domínio sobre: Albânia.
Planeta: Saturno.
Hortaliça: pepino – para feridas.
Fruta: casca de banana – para feridas.
Erva medicinal: alecrim – para feridas e úlceras.
Cereal: aveia – nutriente.
Vela: branca.
Metal: ouro.
Mineral: cristal de quartzo.
Saúde: sensibilidade na pele.
Essências: camomila, erva-doce e manjericão.
Dia da semana: quarta-feira.
Chamado para: ter sabedoria e vida longa e o ocultismo.
Invocação:
Ayael, espírito da verdade, ajuda-me a exteriorizar
Os valores espirituais concedidos por Deus.
Que eu saiba distinguir o falso do verdadeiro
E, no meu trabalho diário,
Testemunhe a verdade, a beleza e a sabedoria.
Torna-me forte nas adversidades
E não permitas que eu pronuncie palavras falsas
Para me desembaraçar de más adversidades.
E não permitas que eu pronuncie palavras falsas
Para me desembaraçar de más situações.

Mostra-me, Ayael, o caminho das altas ciências;
Toma-me pela mão e me conduze ao trono de Deus;
Livra-me da escravidão material,
E que eu encontre na solidão tudo de que necessito
Para realizar a obra que me inspiras.
Aumenta-me, Ayael, o amor de Deus.
Que minhas obras lhe sejam do agrado,
Que eu leve a todos o bem e a harmonia.
Instrui-me, Ayael, instrui-me sempre,
Derrama sobre mim o conhecimento das leis eternas;
Quero ser um instrumento eficaz
Desta criação permanente que é o nosso mundo.

68 – HABUHIAH

Significado: Deus que dá com liberdade.
Hora favorável: das 22:20 às 22:40.
Data de nascimento: 14/03 – 26/05 – 07/08 – 19/10 – 31/12.
Salmo: 105.
Características: governa a agricultura, fertilidade, cura de doenças e amor à natureza.
Gênio contrário: domínio sobre a peste e a esterilidade.
Carreira profissional: êxito nas áreas de estudo dos aromas, plantas, ervas (principalmente no contexto histórico), florais de Bach, fitoterapia, agronomia, jardinagem e botânica (habilidade com as mãos no plantio — agricultura ou jardins). Faça seu pedido ao Anjo Habuhiah para que Ele ilumine seus caminhos com sensibilidade aguçada e para que seus dons intrínsecos sejam revelados e explorados da melhor maneira possível, trazendo diferenciais e novos valores à vida das pessoas.
Categoria: Anjos.
Príncipe: Gabriel.

Número de sorte: 10.
Mês de mudança: outubro.
Exerce domínio sobre: os peloponesos (habitantes de Peloponeso, na Grécia).
Satélite: Lua.
Hortaliça: chuchu – afecções renais.
Fruta: uva – diurética e depurativa.
Erva medicinal: açafrão – cálculo nos rins, bexiga e vesícula.
Cereal: painço – diurético.
Vela: verde.
Metal: prata.
Mineral: quartzo verde.
Saúde: distúrbios renais.
Essências: cedro, sândalo e lavanda.
Dia da semana: sexta-feira.
Chamado para: conservar a paz e curar problemas de saúde.
Invocação:
Habuhiah, faze que minha fé seja fecunda.
Que tua luz acumulada no meu íntimo seja tão intensa
Que com ela possa restabelecer a saúde dos doentes.
Faze que as tentações que a vida nos oferece
Sirvam para reerguer minha fé
E me ajudem a adquirir uma consciência maior.
Senhor Habuhiah, dá-me a ousadia
E a coragem para enfrentar o perigo,
Dá-me tua luz para vencer minha escuridão;
Conduze-me com segurança
Nos caminhos da verdade e da transcendência.
Faze-me cidadão de teu mundo, onde não existem dúvidas.
Permita, ó Senhor Habuhiah,
Que eu seja para todos fonte de saúde e alegria.

69 – ROCHEL

Significado: Deus que tudo vê.

Hora favorável: das 22:40 às 23:00.

Data de nascimento: 01/01 – 15/03 – 27/05 – 08/08 – 20/10.

Salmo: 15.

Características: fama, fortuna e conhecimento.

Gênio contrário: causa desavença familiar devido a processos e testamentos.

Carreira profissional: êxito na área de economia, direito (magistratura), política, comércio exterior e oratória. Faça seu pedido ao Anjo Rochel para que Ele ilumine seus passos com a energia do entusiasmo, sabedoria intelectual, espiritual, senso crítico de justiça e para que inspire sua comunicação e expressão no intuito de transmitir mensagens construtivas para as pessoas à sua volta.

Categoria: Anjos.

Príncipe: Gabriel.

Número de sorte: 12.

Mês de mudança: dezembro.

Exerce domínio sobre: Creta.

Planeta: Júpiter.

Hortaliça: couve-flor – mineralizante.

Fruta: pitanga – adstringente.

Erva medicinal: boldo – estômago e calmante.

Cereal: feijão – nutriente.

Vela: amarela.

Metal: zinco.

Mineral: safira.

Saúde: intoxicação por comida.

Essências: erva-doce, alecrim e hortelã.

Dia da semana: segunda-feira.

Chamado para: encontrar objetos desaparecidos.

Invocação:

Rochel, Senhor, dá-me a força necessária
Para pagar o mal que fiz e transformar o ódio em amor.
Tira de minha alma tudo que não é correto
Para que tua luz possa penetrar nela.
Depois que eu beber até a última gota
O cálice de amarguras, permita-me, então, Rochel,
Testemunhar tua Divina sabedoria;
Permita que eu seja um exemplo vivo para todos
E o canal dos grandes anseios do Senhor.
Assim seja!

70 – YABAMIAH

Significado: Verbo criador de todas as coisas.

Hora favorável: das 23:00 às 23:20.

Data de nascimento: 02/01 – 16/03 – 28/05 – 09/08 – 21/10.

Salmos: 1/91.

Características: dominação dos seres e os fenômenos da natureza.

Gênio contrário: ateísmo.

Carreira profissional: sucesso nas áreas de ciências humanas, magistério, esoterismo, literatura e filosofia. Faça seu pedido ao Anjo Yabamiah para que Ele ilumine sua existência com muita fé, energia, proatividade, compreensão, entendimento e para que desperte em você cada vez mais a sensibilidade aguçada e a consciência da vida.

Categoria: Anjos.

Príncipe: Gabriel.

Número de sorte: 4.

Mês de mudança: abril.

Exerce domínio sobre: os beócios (habitantes do Golfo Pérsico há 6 mil anos).

Astro: Sol.

Hortaliça: inhame – mineralizante.
Fruta: tâmara – ansiedade.
Erva medicinal: serralha – nervosismo.
Cereal: trigo – reconstituinte.
Vela: lilás.
Metal: ferro.
Mineral: ametista.
Saúde: ansiedade, stress e irritabilidade.
Essência: benjoim.
Dia da semana: sexta-feira.
Chamado para: cuidar de todos os fenômenos da natureza, recuperar viciados e trazer harmonia.
Invocação:
Yabamiah, Senhor produtor de todas as coisas,
Faze de mim o receptáculo vivo e consciente de tua palavra.
Que eu esteja repleto de ti, Yabamiah,
De modo que, quando o mundo me chamar para trabalhar,
Será tua força que vai agir, tua voz que vai ordenar
E teu gênio Divino que construirá.
Regenera em mim, Senhor Yabamiah,
Tudo o que não estiver de acordo com a lei Divina.
Não permitas que a vaidade
Me leve a pensar que as obras são minhas,
Pois na realidade elas pertencem a ti.
Permita, Yabamiah, que haja ocasiões propícias
Para pregar tua palavra
E pessoas apropriadas para que nelas frutifique.
Se meu trabalho for do agrado de ti,
Conduza-me, Senhor, ao trono de Deus.

71 – HAIAIEL

Significado: Deus, mestre do Universo.

Hora favorável: das 23:20 às 23:40.

Data de nascimento: 03/01 – 17/03 – 29/05 – 10/08 – 22/10.

Salmo: 108.

Características: coragem, paz e vitória nas causas justas.

Gênio contrário: traição e discórdia.

Carreira profissional: êxito nas áreas ligadas a atividades manuais (marcenaria, escultura, artesanato) como passatempo, finanças, transações financeiras ou imobiliárias. Sucesso também quando envolvido em processos judiciais. Faça seu pedido ao Anjo Haiaiel para que Ele ilumine seus dons artísticos e dê senso crítico na tomada de decisões importantes em sua caminhada profissional.

Categoria: Anjos.

Príncipe: Gabriel.

Número de sorte: 11.

Mês de mudança: novembro.

Exerce domínio sobre: os frígios (habitantes de Troia).

Planeta: Marte.

Hortaliça: beterraba – fígado.

Fruta: abricó – depurativa.

Erva medicinal: artemísia – tônica.

Cereal: ervilha – mineralizante.

Vela: branca.

Metal: ferro.

Mineral: brilhante ou cristal de quartzo.

Saúde: fígado e pâncreas.

Essências: bergamota, pinho e alecrim.

Dia da semana: terça-feira.

Chamado para: confundir os maldosos, trazer a vitória e a paz.

Invocação:
Haiaiel, faze que minhas emoções
Se integrem harmoniosamente ao corpo Divino.
Se o sangue inocente de Abel
Clama por vingança em mim, permite, Senhor Haiaiel,
Que meu coração entenda as razões,
De modo que eu nunca faça mal aos seres e às coisas.
Quando os poderes de Deus me forem dados,
Ajuda-me, Senhor Haiaiel,
A exprimir a vontade dos desejos e do entendimento
De modo equilibrado e útil,
E que eu seja o intermediário
Entre o Senhor do Céu e os homens da Terra.

72 – MUMIAH

Significado: Deus, o fim de todas as coisas.
Hora favorável: das 23:40 à 00:00.
Data de nascimento: 04/01 – 18/03 – 30/05 – 11/08 – 23/10.
Salmo: 114.
Características: sucesso, saúde, vida longa e proteção. Poderá fazer descobertas na medicina ou realizar curas miraculosas.
Gênio contrário: suicídio e desespero.
Carreira profissional: sucesso na área de direito (magistratura), estudo da natureza (elementais), medicina alternativa, oriental, filosofia (tantra, ioga) e metafísica. Faça seu pedido ao Anjo Mumiah para que Ele lhe inspire o senso crítico da justiça, ilumine seus pensamentos, suas ideias a favor do próximo e aguce sua sensibilidade espiritual.
Categoria: Anjos.
Príncipe: Gabriel.

Número de sorte: 11.
Mês de mudança: novembro.
Exerce domínio sobre: Trácia (atualmente dividida entre Grécia, Turquia e Bulgária).
Planeta: Netuno.
Hortaliça: brócolis – anemia.
Fruta: abacaxi – anemia.
Erva medicinal: salsaparrilha – abrir o apetite.
Cereal: feijão – nutriente.
Vela: branca.
Metal: níquel.
Mineral: quartzo fumê e/ou rutilado.
Saúde: anemia.
Essências: limão, tomilho e camomila.
Dia da semana: domingo.
Chamado para: anular feitiços.
Invocação:
Mumiah, Senhor dos renascimentos e das mudanças,
Faze que na minha natureza
Irrompa a divina química do ouro;
Que minha fome de luz e de pureza
Se condense na minha estrutura psíquica
E que assim ela se torne a mãe fecunda,
Uma verdade mais alta que meu ser,
Para fazer renascer em mim todos os princípios
Que levaram o mundo à plenitude.
Que teu humilde servo seja o portador
De tuas mudanças nos átomos, nas células e nas gerações;
Portador de saúde e de longa vida,
Mensageiro de tuas virtudes misteriosas.

ANJOS DA HUMANIDADE

As pessoas nascidas em 05/01, 19/03, 31/05, 12/08 e 24/10 são protegidas pelos Anjos da Humanidade, ou seja, Gênios da Humanidade. São Eles:

05/01 – Guardião dos segredos do mundo
19/03 – Guardião encarregado de destruir a força dos inimigos de Deus
31/05 – Guardião das palavras e da fala
12/08 – Guardião da organização
24/10 – Guardião da renovação

Aqui, os Salmos 91/150 são os mais recomendáveis para leitura.

Essa hierarquia é chamada de "Senhores do Sacrifício". A energia por ela utilizada é a do poder do verbo: a linguagem. Os Gênios da Humanidade são representações simbólicas do cuidado protetor que Deus tem sobre a Humanidade.

Foram denominados "Senhores do Sacrifício" porque, em outras vidas, concederam um nível superior de consciência para o grupo em que viviam.

Somente a presença física das pessoas nascidas em 05/01, 19/03, 31/05, 12/08 e 24/10 consegue afastar o **gênio contrário** de uma família ou de um grupo.

Se você faz parte dessa categoria, deve estar se perguntando: "Então eu não tenho Anjo?". A princípio não, pois já tem uma essência angelical muito forte. Isso em decorrência de atos humanitários. Contudo, no horário de seu nascimento havia um Anjo presente para ajudá-lo nessa nova vida.

Agora, vamos conhecer um pouco da personalidade de quem nasce em um desses dias especiais.

05/01 – Guardião dos segredos do mundo
Signo de Capricórnio – elemento Terra: protegido pelo deus Anúbis, guardião dos mortos, responsável por pesar a alma na balança da verdade e encaminhá-la para a salvação ou o castigo. Guardião de todos os segredos do mundo, representado por um homem com cabeça de chacal, domina a força dos gnomos.
Personalidade: com uma paciência aguda, tem facilidade em expor suas ideias, tornando-se assim uma pessoa de sucesso, fiel, amiga e protegida pelos deuses. É perseverante e exerce o poder com senso de justiça. É um ótimo conselheiro.
Anjo Contrário: domina a impaciência, o orgulho, o egocentrismo e a falta de modéstia.

19/03 – Guardião encarregado de destruir a força dos inimigos de Deus
Signo de Peixes – elemento Éter: protegido pela deusa Sekhmet, a guerreira encarregada de destruir a força dos inimigos do faraó. Representada como uma mulher com cabeça de leão, portando uma coroa com um disco solar, é responsável pelo começo do ano esotérico.
Personalidade: tem consciência da própria força e magnetismo, exercendo domínio sobre todos com facilidade. Organizado, com forte senso de dever, obtém o equilíbrio quando trabalha em equipe e constrói seu próprio bem sem abandonar os outros.
Anjo Contrário: domina a impulsividade, as aventuras, o egoísmo e a violência.

31/05 – Senhor das palavras e da fala
Signo de Gêmeos – elemento Ar: protegido pelo deus Toth, Senhor das Palavras, criador da fala e inventor da escrita, é

representado como um homem com cabeça de ave, a sagrada Íbis, responsável pelo controle dos silfos, de extraordinária beleza.
Personalidade: está sempre vivendo novas situações. Assim como um pássaro de galho em galho, adora a adaptação das coisas que instigam a inteligência; é um pesquisador curioso e individualista, apresenta forte capacidade de comunicação e praticidade em expor suas metas. Superativo, está sempre inventando.
Anjo Contrário: domina a natureza ampla, o nervosismo e a preguiça mental.

12/08 – Guardião da organização
Signo de Leão – elemento Fogo: protegido pelo deus Rá, principal divindade egípcia, surgida do céu em forma de Benu, a ave Fênix (que ressurgiu das cinzas), representado com um olho na frente, na forma de uma serpente, Uraes, responsável pela organização das salamandras.
Personalidade: extrovertido, dotado de grande energia e poder, adora enfrentar situações difíceis e superá-las. A energia é a mesma do Sol, pois nasceu para brilhar; é orgulhoso e trabalhador.
Anjo Contrário: domina a depressão, a estagnação e o abuso do poder. Não sabe perder.

24/10 – Guardião da renovação
Signo de Escorpião – elemento Água: protegido por Osíris, o rei dos deuses, deus da renovação, de tudo o que morre e volta a nascer, representado como um homem que tem nas mãos um cajado e o mangual, símbolos de sua autoridade régia. Escolhido para governar as forças das ondinas, é possuidor de enorme beleza.

Personalidade: possui um intenso sentimento de emoção, é persistente e possui intuição fortíssima, que, bem canalizada, trabalha com os poderes paranormais. Resiste a todas as adversidades e está sempre disposto a defender o que almeja em todas as áreas.
Anjo Contrário: domina o ciúme excessivo, a desconfiança e o uso da potencialidade intuitiva para praticar magias do mal.

1	2	3	4	5	6	7	8
1 והו	2 ילי	3 סיט	4 עלם	5 מהש	6 ללה	7 אכא	8 כהת
9 הזי	10 אלד	11 לאו	12 ההע	13 יזל	14 מבה	15 הרי	16 הקם
17 לאו	18 כלי	19 לוו	20 פהל	21 נלך	22 ייי	23 מלה	24 חהו
25 נתה	26 האא	27 ירת	28 שאה	29 ריי	30 אום	31 לכב	32 ושר
33 יחו	34 להח	35 כוק	36 מנד	37 אני	38 חעם	39 רהע	40 ייז
41 ההה	42 מיכ	43 וול	44 ילה	45 סאל	46 ערי	47 עשל	48 מיה
49 והו	50 דני	51 החש	52 עמם	53 ננא	54 נית	55 מבה	56 פוי
57 נמם	58 ייל	59 הרח	60 מצר	61 ומב	62 יהה	63 ענו	64 מחי
65 דמב	66 מנק	67 איע	68 חבו	69 ראה	70 יבם	71 היי	72 מום

1 Túnel do tempo
2 Recuperando a luz
3 Criando milagres
4 Controlando pensamentos
5 Cura total
6 Estado de sonhos
7 DNA da alma
8 Eliminando o stress
9 Influências angelicais
10 Proteção contra mau-olhado
11 Purificando os lugares
12 Amor incondicional
13 Paraíso na Terra
14 Sem armas
15 Visão de longo alcance
16 Saindo da depressão
17 Sem ego
18 Poder da fertilidade
19 Discando Deus
20 Vencendo os vícios
21 Eliminando as pragas
22 Banindo a atração fatal
23 Compartilhando a chama
24 Livre do ciúme
25 Fale o que está pensando
26 Ordem a partir do caos
27 Sócia silenciosa
28 Almas gêmeas
29 Eliminando o ódio
30 Construindo pontes
31 Termine o que começou

32 Memórias
33 Revelando o lago negro
34 Esqueça de você mesmo
35 Energia sexual
36 Sem medo
37 Vendo a grande figura
38 Criando circuito
39 Diamantes em estado bruto
40 Falando as palavras certas
41 Autoestima
42 Revelando o oculto
43 Mente sobre a matéria
44 Adoçando julgamentos
45 Poder da prosperidade
46 Certeza absoluta
47 Dignidade humana
48 Unidade
49 Felicidade
50 O suficiente não é suficiente
51 Sem culpa
52 Paixão
53 Dando sem esperar nada em troca
54 Eliminando a morte
55 Pensamento em ação
56 Dissipando a raiva
57 Ouvindo sua alma
58 Seguindo em frente
59 Cordão umbilical
60 Liberdade
61 Poder da água
62 Pais-mestres não pregadores

63 Apreciação
64 Revelando o melhor de você
65 Temor a Deus
66 Responsabilidade
67 Grandes expectativas
68 Conectando almas que já partiram
69 Achando o caminho
70 Encontrando a solução no problema
71 Universos paralelos
72 Purificação espiritual

Arcanjos e signos

Cada signo tem seu Arcanjo Protetor! É isso mesmo! E sua missão é protegê-lo das más energias, iluminando, assim, sua alma, seu espírito. Ainda bem que não estamos sozinhos nesta caminhada e podemos contar com a energia de luz de nosso Arcanjo. Então, que tal saber um pouco mais sobre o seu? Preparei com carinho um texto sobre o Arcanjo de cada signo. Leia-o com alegria e saiba um pouco mais sobre essa energia tão iluminada em sua trajetória existencial.

Áries

Os Arianos são protegidos pelo **Arcanjo Samuel**. Ele é o Arcanjo do amor, da adoração e da dedicação a Deus. Sua infinita misericórdia estende-se a toda a humanidade. Ele é o complemento Divino, representa a caridade e auxilia no desenvolvimento da consciência dos seres humanos, com a finalidade de despertar a gratidão e o amor à nossa fonte divina, Deus.

Os nativos sob a proteção deste Arcanjo são pessoas corajosas, batalham pelo espaço que desejam, dão muito valor às próprias argumentações, ideias, têm ousadia em tudo o que fazem, porém apresentam dificuldade para controlar as paixões. Gostam da justiça, portanto, não toleram a injustiça, apreciam a honestidade e a lealdade nas atitudes.

Quando esse Arcanjo é invocado, Ele dá aos Arianos a oportunidade de desenvolver melhor seus próprios dons, talentos,

sentimentos de compaixão e doçura perante as dificuldades da vida, além de despertar a virtude da coragem para encarar os desafios com mais determinação e leveza.
Salmo bíblico para leitura: 5.
Oração: *Samuel, ajude-me a ter paciência e compreensão na hora de tomar as decisões que envolvem minha vida. Faça com que eu seja menos agressivo(a) e me torne sensível e amável. Que eu aceite as pessoas com suas qualidades e defeitos. Que eu compreenda todas as atitudes de meus companheiros, sem querer mudá-los ou transformá-los. Meu querido Anjo Samuel, dê-me inteligência e coragem para que eu seja capaz de realizar meus objetivos. Fortaleça-me com seu amor e poder eterno. Amém.*

Touro

Os Taurinos são protegidos pelo **Arcanjo Anael**. Anael é o Arcanjo do amor, da harmonia, da beleza, da tolerância e da espiritualidade. Ele promove um ambiente muito tranquilo em torno das pessoas por estabelecer a energia do amor, e ao mesmo tempo, a harmonia nos relacionamentos.

Os nativos sob a proteção desse Arcanjo são pessoas muito ligadas à família e também à estabilidade da vida material. São pessoas que conquistam o sucesso de forma merecida em virtude de seu esforço, trabalho e dedicação, concretizando seus sonhos com muita fé na vida e alegria no coração.

Quando esse Arcanjo é invocado, Ele ajuda os Taurinos a equilibrar a vida material, espiritual, afetiva e familiar. São ainda favorecidos pelo sentimento de amor e beleza.
Salmo bíblico para leitura: 79.
Oração: *Poderoso Anjo Anael, ilumine minha mente e faça com que eu seja cada dia melhor. Dê-me inteligência, determinação e criatividade para realizar minhas tarefas. Diminua meu fascínio*

pelas coisas materiais e me ensine a valorizar e admirar as pessoas de minha convivência. Que eu não julgue meus irmãos apenas pelo o que eles possuem. Dê-me sempre forças para que eu conquiste a vitória em minha vida. Arcanjo Anael, rogo-lhe que me ampare sempre. Que assim seja. Amém.

Gêmeos

Os Geminianos são protegidos pelo **Arcanjo Rafael**. O seu nome significa "Deus te cura". Ele é o protetor da saúde, do nosso corpo físico e espiritual, e estabelece o poder de cura. Sua energia é transformadora, conforta a alma daquelas pessoas desesperadas e depressivas, preenchendo-a de tranquilidade, harmonia, amor e virtudes.

Os nativos sob a proteção desse Arcanjo são pessoas comunicativas, carismáticas e solucionam os problemas do dia a dia com muita praticidade e precisão. São indivíduos autênticos, verdadeiros, têm facilidade tanto na fala quanto na escrita e pensam de forma rápida.

Quando esse Arcanjo é invocado, Ele ajuda os Geminianos a manter acesos o equilíbrio das emoções e a luz mental. Esses nativos valorizam muito as boas amizades, inclusive aquelas que engrandecem a espiritualidade. Os nativos deste signo estão sempre acompanhados pelos Anjos de Cura, símbolos da proteção e, sobretudo, da evolução espiritual.

Salmo bíblico para leitura: 7.

Oração: *Recorro a vós, Arcanjo Rafael, para agradecer o dom da minha comunicação. Fazei com que, por meio de minhas palavras, eu divulgue a graça de Deus a todas as pessoas. Fazei-me livre para que eu possa amar e respeitar meus irmãos. Rafael, fazei com que eu use minha versatilidade para crescer profissional e espiritualmente. Que, a cada dia, eu busque melhorar ainda mais o meu ser.*

Obrigada pela liberdade que eu tenho. Assim poderei conquistar e ser conquistado(a). Amém.

Câncer

Os Cancerianos são protegidos pelo **Arcanjo Gabriel**. Seu nome em hebraico simboliza GEBHER e significa "homem de Deus". O Arcanjo Gabriel é considerado o Arcanjo da Esperança, da Anunciação, da Revelação e é comparado a uma trombeta porque simboliza a voz de Deus. Promove mudanças.

Os nativos sob a proteção desse Arcanjo são pessoas carinhosas, valorizam muito a família, agem bastante pela emoção, distanciando-se da razão; então esse Arcanjo tem a missão de equilibrar as intenções desse signo: aproximar o sentimento de razão e emoção, elevando assim as intuições na tomada de decisões.

Quando esse Arcanjo é invocado, Ele ajuda os Cancerianos a canalizar a energia angelical, e certamente entrarão em contato com a vibração espiritual. Sua clarividência ocupará posição de destaque. Salmo bíblico para leitura: 19.

Oração: *Meu protetor Gabriel, pelo seu santo poder, eu venho agradecer a grande sensibilidade e energia que recebi de Deus. Sei que pela força do Criador e pela sua proteção serei vitorioso em todos os momentos de minha vida. Gabriel, fortaleça minhas emoções e meus desejos para que eu possa sempre ajudar os mais necessitados. Faça com que eu seja simples e confiável. Gabriel, esteja sempre me amparando nos momentos de angústia e dor. Amém.*

Leão

Os Leoninos são protegidos pelo **Arcanjo Miguel**. São Miguel Arcanjo representa o príncipe celestial. Seu nome significa "Semelhante a Deus", "aquele que é Deus".

Os nativos sob a proteção desse Arcanjo são pessoas poderosas, que estão sob a forte influência do Sol. Líderes por excelência, são auxiliadas nesse aspecto pela energia angelical.
Quando esse Arcanjo é invocado, Ele ajuda os Leoninos com a virtude da paciência, desperta a magia da iluminação em suas mentes, a virtude da tolerância, sem a necessidade de utilizar o poder na solução de problemas. Na maioria das vezes os nativos desse signo conseguem atingir suas metas de vida e sucesso em todos os sentidos com a ajuda do Anjo Miguel.
Salmo bíblico para leitura: 12.
Oração: *Miguel, ensina-me a ser menos orgulhoso(a) para não magoar meus semelhantes. Faze com que eu saiba sempre me controlar e usar para o bem o poder que tu me deste. Fortalece meu ser quando eu estiver liderando e que todos me aceitem como eu sou. Dá-me o dom do amor, para que eu faça meu parceiro(a) sempre feliz. Faze com que eu irradie luz para todos aqueles que necessitam de uma palavra de conforto. Que os frutos de minha inteligência sejam usados apenas para o bem. Miguel, obrigado(a) por sempre me amparar e proteger. Amém.*

Virgem

Os Virginianos são protegidos pelo **Arcanjo Rafael**. Seu nome significa "Deus te cura". Ele é o protetor da saúde, do nosso corpo físico e espiritual, estabelece o poder de cura. Sua energia é transformadora e conforta a alma das pessoas desesperadas e depressivas, preenchendo-a de tranquilidade, harmonia, amor e virtudes.

Os nativos sob a proteção desse Anjo são pessoas dotadas de raciocínio rápido e inteligência, com senso crítico apurado, que deverá ser sempre trabalhado com equilíbrio. São metódicos, honestos, seletivos, com alto grau de perfeição em tudo o que fazem.

Quando esse Arcanjo é invocado, Ele ajuda os Virginianos a fazer desabrochar a energia do dom da cura por meio de processos naturais, além da inteligência apurada e de muita luz na alma.
Salmo bíblico para leitura: 74.
Oração: "*Ó Rafael! Ilumina minha vida e me faze uma pessoa organizada e ordeira. Que por intermédio desses dons eu possa ensinar a fé a todos aqueles que ainda não conhecem teu poder e força. Dá-me amparo na hora de lidar com minha família. Que minha maneira de ser não afaste as pessoas. Ó Rafael, por meio de ti, peço perdão a Deus. Desculpa-me se, muitas vezes, quero ser mais do que realmente sou. Ensina-me a transmitir aos outros paz e amor, sempre. Assim seja. Amém.*

Libra

Os Librianos são protegidos pelo **Arcanjo Anael**. Anael é o Arcanjo do amor, da harmonia, da beleza, da tolerância e da espiritualidade. Ele promove um ambiente muito tranquilo em torno das pessoas por estabelecer a energia do amor e ao mesmo tempo a harmonia nos relacionamentos.

Os nativos sob a proteção desse Arcanjo são pessoas amorosas, carinhosas, adoram retribuir e sentir tais emoções. A energia angelical lhes confere esses sentimentos de forma mais apurada, além do sentido de justiça. A pintura, a poesia, a escultura e as artes em geral são também áreas muito abençoadas pelo Arcanjo Anael, já que os Librianos adoram tudo o que é ligado à sensibilidade artística.

Quando esse Arcanjo é invocado, Ele ajuda os Librianos a manter a paz interna, ter a harmonia espiritual sempre em ação, além de proporcionar muita luz Divina na tomada de suas atitudes e ações.
Salmo bíblico para leitura: 44.

Oração: *Anael, Divino Elohim, que é cheio de graça, trabalhai para que a beleza da Terra seja eterna, para que meus pedidos e a minha verdade sejam alcançados com graça e doçura. Fazei que nesta vida tudo que é necessário seja utilizado com sabedoria, modéstia e humildade. Fazei-me nobre de caráter, em falar, trabalhar e em toda a minha extensão. Príncipe Anael, príncipe do amor, fazei-me otimista e em condições de sempre tomar partido do positivo. Fazei-me sentir seguro para realizar-me no amor, com toda a força dos Anjos e dos guardiões Divinos. Príncipe Anael, por amor, eu vos saúdo. Que este amor resplandeça e brilhe no meu ser, no meu lar, e em todas as ocasiões e detalhes; que eu triunfe perante os obstáculos. Que vosso grande raio de amor ilumine como um diamante e me abençoe em todos os segundos de minha existência. Amém.*

Escorpião

O **Arcanjo Azrael** protege os nativos de Escorpião. O Arcanjo guia pelos caminhos da busca espiritual, tarefa principal dos nascidos nesse signo. Este Arcanjo favorece a expressão e a espontaneidade, além de dotar os nativos de Escorpião de caráter e de determinação.

Este arcanjo é invocado para acabar com os obstáculos na evolução do espírito.

Salmo bíblico para leitura: 132

Oração: *Azrael, que através de Deus ilumine o coração de todos os fiéis com sua Lua Divina. Agradeço-te o magnetismo que me deste. Peço apenas que me ajude a controlar minha vaidade para que eu não me torne uma pessoa egoísta. Faça Azrael, com que eu coloque minha criatividade a serviço de Deus. Cubra-me com tua graça e faça com que minha energia física e mental nunca termine. Oh meu zeloso Anjo, prometo me esforçar cada dia mais para com tua ajuda atingir meus objetivos. Amém.*

Sagitário

Os Sagitarianos são protegidos pelo **Arcanjo Saquiel**. A influência de Saquiel, Arcanjo de infinita bondade, está ligada fortemente à prosperidade, aos empreendimentos imobiliários e à justiça. O senso de justiça é um ponto forte na missão dele. Os nativos sob a proteção desse Arcanjo são pessoas otimistas, com raciocínio rápido, comunicativas, expansivas, têm facilidade para aprender diferentes idiomas e adoram viajar para conhecer novas pessoas e usufruir da beleza de novos lugares. Quando esse Arcanjo é invocado, Ele ajuda os Sagitarianos na eficiência da argumentação, estabelece a magia da expressão, além do poder da análise e síntese.

Salmo bíblico para leitura: 112.

Oração: *Arcanjo Saquiel, Anjo de infinita bondade, eis que venho a ti para agradecer-te o grande otimismo que existe em meu coração. Faze com que eu leve sempre aos outros alegria e bem-estar. Pela tua proteção me tornei um ser abençoado e amável. Por isso, Saquiel, prolonga meus dias sobre a Terra para que eu possa expressar até o fim de minha vida as palavras de Deus. Que todos possam perceber em mim os benefícios de tua intercessão. Amém.*

Capricórnio

Os Capricornianos são protegidos pelo **Arcanjo Cassiel**. Cassiel é o Arcanjo do equilíbrio, da paciência, do senso de responsabilidade tanto no trabalho quanto nos estudos, na disciplina.

Os nativos sob a proteção desse Anjo são pessoas conscientes da vida material. Portanto, com a ajuda da energia angelical, conseguem a tão esperada estabilidade nessa área de sua vida.

Então, os nativos desse signo têm a capacidade nata de lidar com assuntos relacionados às áreas da economia e da vida financeira.

Quando esse Arcanjo é invocado, Ele ajuda os Capricornianos a expressar o que realmente sentem para as pessoas à sua volta. Dessa forma, poderão exprimir bom senso em seus sentimentos.
Salmo bíblico para leitura: 16.
Oração: *Arcanjo Cassiel, eis-me aqui, a teus pés, para pedir-te que continue sempre abençoando os meus dias e minha existência. Faça com que, por meio de teu amor, eu transmita aos outros toda a responsabilidade concedida a mim. Afasta de mim as recordações do passado, para que eu viva intensamente o presente. Não me deixes ser uma pessoa mesquinha e faze com que eu sempre enxergue as necessidades dos outros. Eu imploro que não me desampares e me tornes uma pessoa forte, com uma fé inabalável. Amém.*

Aquário

Os aquarianos são regidos pelo **Arcanjo Uriel**, que traz à tona temas ligados à magia, milagres e transformações da vida e do espírito. Uriel é o senhor da boa sorte e da graça.

O Arcanjo tem a missão de ensinar que a transformação humana está atrás das mentes e ideias arrojadas dos aquarianos.
Salmo bíblico para leitura: 3
Oração: *Poderoso Uriel, ajudai-me a ser sempre uma pessoa original. Faça com que eu esteja sempre disposto a ajudar os que precisam de mim. Faça-me, Arcanjo Uriel, curioso em tudo o que eu possa aprender a cada dia. Não permita que me distancie de minha família e de meus amigos. Amoroso Uriel, faça-me merecedor do teu amor e atende sempre aos meus pedidos. Amo-te, querido Uriel, e por isso nunca se afaste de mim. Amém.*

Peixes

O **Arcanjo Asariel** governa os mares e as emoções, especialmente ligado à compaixão e à caridade. Essa ligação traz aos piscianos a capacidade de equilibrar e superar as dualidades de seu próprio caráter.

Este arcanjo é invocado pela devoção, fé, oração e salvação da alma.

Salmo bíblico para leitura: 108

Oração: *Arcanjo Asariel, que foi enviado pelo Criador para salvar a humanidade, eu te imploro que jamais me abandone nos momentos de desespero. Faça-me sempre bondoso para que em mim os aflitos sempre encontrem conforto. Meu coração está transbordando de amor e eu quero transmiti-lo a todos. Dê-me sabedoria e coragem para seguir em frente. Fortaleça minha fé e esteja sempre junto nas aflições, porque assim sei que vou superar todos os obstáculos que surgirem em meu caminho. Amém.*

Os sete Arcanjos: os planetas e suas características

Astro Sol – Arcanjo Miguel

Rege a fartura, o dinheiro, a prosperidade, o crescimento mental e espiritual. Simboliza o impulso criativo e a necessidade de sermos visíveis.
Árvores: pinho, carvalho.
Cores: amarelo, dourado.
Dia da semana: domingo.
Metal: ouro.
Numerologia: 6.
Pedras: rubi, diamante.
Plantas: camomila, flor de girassol, crisântemo amarelo.

Satélite Lua – Arcanjo Gabriel

Rege as águas, nossa voz interior, transformações, mudanças em nossa vida e concretização de nossos sonhos.
Árvores: coqueiro, salgueiro-chorão.
Cores: violeta, prateado.
Dia da semana: segunda-feira.
Metais: prata, platina.
Numerologia: 9.
Pedras: pedra da lua, berílio.
Plantas: lírios-brancos, lírios-roxos, feijão, cabaças, melão.

Planeta Mercúrio – Arcanjo Rafael

Rege as enfermidades, os livros, a literatura, contratos em geral, viagens, os tribunais de justiça, processos de compra e venda e está também relacionado com nossa comunicação e expressão e nosso desejo de conhecimento.
Árvores: amendoeira, magnólia.
Cor: laranja.
Dia da semana: quarta-feira.
Metal: alumínio.
Numerologia: 8.
Pedras: ágata, opala de fogo.
Plantas: manjerona, arruda, salsa.

Planeta Marte – Arcanjo Samuel

Rege os obstáculos, a disposição, a raiva, a decadência, a força de vontade das pessoas, os procedimentos cirúrgicos e o poder de atração.
Árvores: caju, figueira.
Cor: vermelho.
Dia da semana: terça-feira.
Metais: ferro, níquel.
Numerologia: 5.
Pedra: ágata vermelha.
Plantas: cacto, gengibre, bambu, todas as espinhosas.

Planeta Júpiter – Arcanjo Saquiel

Rege a expansão da nossa consciência, as viagens longas, o gesto de caridade, serviços bancários em geral, a fartura, a abundância, a prosperidade e a generosidade.
Árvores: carvalho, cedro, pinheiro.
Cor: azul.

Dia da semana: quinta-feira.
Metais: estanho, zinco.
Numerologia: 4.
Pedras: lápis-lazúli, ametista, turquesa, água-marinha.
Plantas: manjerona, sálvia.

Planeta Vênus – Arcanjo Anael

Rege o amor, o enlace matrimonial, as artes em geral e a música. Possui ambição, beleza, esplendor, juventude, otimismo. Representa a juventude feminina, nossos valores, a necessidade de equilíbrio e a capacidade de amar.
Árvores: macieira, cerejeira, limoeiro, laranjeira.
Cor: verde.
Dia da semana: sexta-feira.
Metais: cobre, bronze.
Numerologia: 7.
Pedras: esmeralda, jade, quartzo rosa, opala.
Plantas: verbena, rosas vermelhas, hibisco.

Planeta Saturno – Arcanjo Cassiel

Rege a agricultura, as construções, as posses familiares, as dívidas, a morte e os ancestrais. Representa a experiência, os desafios, o limite e nos traz a força por meio da disciplina e do planejamento. Está associado às regras.
Árvores: álamo, cipreste.
Cores: preto, azul-marinho.
Dia da semana: sábado.
Metal: chumbo.
Numerologia: 3.
Pedras: ônix, obsidiana.
Plantas: violeta, lírios-brancos.

A conexão espiritual com São Miguel Arcanjo

Reserve meia hora por dia, sem interrupções. Precisa ser um momento tranquilo, de paz. Não custará nada e trará sabedoria e alívio para a sua alma!

Lembre-se: qualquer exercício para a invocação de um Arcanjo é extremamente estimulante, belo, é a pura conexão com Deus, com Jesus Cristo.

Com muito amor, carinho e desapego, leia em voz alta, três vezes, a Louvação ao Glorioso São Miguel Arcanjo (veja o texto a seguir). Faça isso por sete dias consecutivos. Será imediata a transformação em sua vida. Confie, tenha fé! No oitavo dia, leia novamente a Louvação, agradecendo por tudo em sua vida!

Com esse exercício, suas palavras terão mais força a cada dia, você ganhará uma nova qualidade energética e luz para sua aura, para sua alma, e transmutará energia brilhante para o Universo. Não se incomode se disserem que você está tranquilo ou sereno demais. Você estará cheio de luz, de brilho, de paz interior, de amor ao belo e ao Divino, de amor à sua vida e ao próximo.

Louvação ao Glorioso São Miguel Arcanjo

Ó glorioso Arcanjo São Miguel, Príncipe da milícia celestial, sede nossa defesa na terrível luta que levamos contra os poderes do mundo da obscuridade.

Vinde ao auxílio dos homens, a quem Deus criou a sua Imagem e Semelhança e redimiu a grande preço da tirania do demônio.

Lutai neste dia a batalha do Senhor, com os Santos Anjos, como uma vez lutastes contra o líder dos Anjos orgulhosos, Lúcifer, e seus seguidores, que perderam a batalha e seu lugar no Céu.

Essa serpente antiga e cruel que seduz o mundo foi lançada ao abismo com seus Anjos.

Mas agora esse inimigo e destruidor dos homens volta a atacar.

Transformado em um Anjo de luz, passeia, invadindo a Terra com uma multidão de espíritos malignos, para tratar de apagar dela o nome de Deus e de Cristo, para apoderar-se da glória eterna.

Esse malvado dragão derrama a mais impura torrente de seu veneno de maldade sobre os homens de mente depravada e coração corrupto, o espírito da mentira, da impiedade, da blasfêmia, de todos os vícios e da iniquidade.

Esses astutos inimigos têm enchido e borrado com fel e amargura a Igreja, a Esposa do Cordeiro Imaculado, e têm posto suas mãos ímpias sobre suas posses mais sagradas.

No Santo Lugar mesmo onde se encontra a sede do Santo Pedro e o Trono da Verdade têm levantado o trono de sua abominável impiedade, com o desígnio de ferir ao pastor para logo dispersar as ovelhas.

Levantai vós então, ó invencível Príncipe, trazei ajuda ao povo de Deus contra os ataques dos espíritos perdidos e dai-nos a vitória.

Nós vos veneramos como protetor contra os poderes malignos do inferno; a vós tem confiado Deus as almas dos homens que têm de formar-se em santidade.

Orai ao Deus da paz para que ponha a Satanás sob vossos pés tão derrotado que já não possa voltar a cativar os homens nem a fazer dano à Igreja.

Oferecei nossas orações ante os olhos do Altíssimo, para conseguir com elas a misericórdia do Senhor; e, derrotando ao dragão, a serpente antiga, o encerre uma vez mais no abismo, para que não seduza nunca mais as nações. Amém.

Olhai a Cruz do Senhor; afastai os poderes hostis.

O Leão da tribo de Judá tem conquistado a linhagem de David.

Tende misericórdia de nós, ó Senhor,

Em vós confiamos

Ó Senhor, escutai minha oração.

E que meu chamado chegue até vós.

Oremos:

Ó Deus, Pai de Nosso Senhor Jesus Cristo, chamando vosso Santo Nome, imploramos vossa clemência, para que pela intercessão de Maria, sempre Virgem Imaculada e Mãe nossa, e do Glorioso Arcanjo São Miguel, nos ajudai na luta contra Satã e todos os outros espíritos impuros que andam pelo mundo para ferir a raça humana e causar a ruína das almas. Amém.

São Miguel Arcanjo, defendei-nos na batalha, para que não pereçamos no dia do juízo.

São Miguel Arcanjo, primeiro defensor do Reinado de Cristo, rogai por nós.

Os quatro elementos da natureza e os Anjos

Vale saber que os Anjos também transmitem sua energia, sua força e seu poder por meio dos quatro elementos da natureza, que são: Terra, Água, Ar e Fogo.

Segundo estudos antigos, quando se menciona o elemento Terra, não se fala somente do chão onde pisamos, do solo, do material em si, mas sim em tudo o que está presente na natureza que esteja em seu estado sólido, por exemplo, uma propriedade, uma pedra.

A Água não é somente a água que tomamos diariamente, mas tudo o que se encontra em estado líquido na natureza, por exemplo, um material fundido pode se transformar em água.

O Ar significa o estado gasoso, mas não apenas isso. Pode ser qualquer substância na natureza que esteja em seu estado gasoso, por exemplo, o gás hidrogênio, o gás carbônico, o oxigênio etc.

Já o Fogo, o último elemento, para a ciência espiritual representa o calor. Ele é considerado o único elemento que penetra e transforma os demais, pois apresenta a poderosa capacidade de aquecê-los.

Os 72 Anjos Cabalísticos estão divididos em quatro grandes grupos de dezoito de acordo com os quatro elementos da natureza. A partir de agora, conheça cada um deles:

Elemento Fogo

Primeiramente, você precisa saber quais são os Anjos que fazem parte do elemento Fogo. São eles:

1. **Vehuiah**
2. **Jeliel**
3. **Sitael**
4. **Elemiah**
5. **Mahasiah**
6. **Lelahel**
7. **Nith-Haiah**
8. **Haaiah**
9. **Ierathel**
10. **Seheiah**
11. **Reyel**
12. **Omael**
13. **Vehuel**
14. **Daniel**
15. **Hahasiah**
16. **Imamaiah**
17. **Nanael**
18. **Nithael**

Purifique sua mente por meio da energia do elemento Fogo. Se você anda muito cabisbaixo, triste, melancólico, sem iniciativa para tomar decisões e deseja ter mudanças prósperas em sua vida, está na hora de solicitar ajuda aos Anjos do elemento Fogo.

A seguir há um ritual simples para você invocar a ajuda desses Anjos e purificar sua mente. Para isso, basta estar vivendo uma situação que envolva inveja, brigas, discussões, ciúmes ou conflitos com amigos, colegas ou alguém da família.

Ritual do elemento Fogo

Ingredientes

– papel branco
– lápis
– fósforo
– um recipiente com água
– uma pinça de metal

Como fazer

No papel branco, escreva a situação que o perturba, por exemplo, conflitos em família. Caso haja mais de uma situação, cada uma deve ser escrita em um papel diferente. Em seguida, dobre três vezes cada pedaço de papel e misture tudo. Sorteie um deles.

Leia a situação inconveniente e pense como seria agradável a sensação de se livrar dela. Agora, pergunte a si mesmo se está preparado para se libertar desse problema de uma vez por todas. Seja muito sincero consigo mesmo.

Depois de responder, dobre o papel como se fosse fazer um pavio. Em seguida, segure-o com a pinça e acenda com o fósforo uma das pontas. Faça esse procedimento com o recipiente com água embaixo para garantir sua segurança.

Nesse momento, faça seu pedido aos Anjos do elemento Fogo para libertá-lo de uma vez por todas desse problema em sua vida, para que seja queimada essa negatividade. Deixe o papel queimar até o fim.

Por fim, agradeça a oportunidade que o Universo está lhe oferecendo.

Elemento Água

Estes são os Anjos que fazem parte do elemento Água:

19. Leuviah

20. Pahaliah
21. Nelchael
22. Ieiaiel
23. Melahel
24. Haheuiah
25. Veuliah
26. Yelaiah
27. Sealiah
28. Ariel
29. Asaliah
30. Mihael
31. Ayel
32. Habuhiah
33. Rochel
34. Yabamiah
35. Haiaiel
36. Mumiah

Purifique sua mente por meio da energia do elemento Água. Você está infeliz ou inseguro no seu relacionamento amoroso, com problemas de convivência com o ser amado? Então, é o momento de solicitar ajuda aos Anjos do elemento Água.

Este é um ritual simples para você invocar a ajuda desses Anjos e purificar sua mente. Para isso, basta estar vivendo uma situação que envolva brigas, discussões e ciúme com a pessoa amada.

Ritual do elemento Água

Ingredientes

– 2 litros de água morna
– pétalas de rosa branca

Como fazer

Após seu banho higiênico, macere as pétalas da rosa branca na água morna. Em seguida, jogue o preparo do pescoço para baixo, sem enxaguar. Esse banho é ótimo para eliminar as energias densas de seu corpo e atrair a paz para sua alma.

No momento desse banho, tenha em mente que a água e as pétalas de rosa branca têm o poder de limpar e renovar as energias de seu corpo, isto é, pense que não se trata de um banho comum, e sim de um ritual de purificação de sua mente, deixando que todas as impurezas de sua alma escorram pelo ralo. Tenha sempre pensamentos positivos e peça aos Anjos do elemento Água a luz Divina, o discernimento, a compreensão, a paz interior e que toda a energia negativa se transmute em positiva, em forte energia amorosa. Por fim, agradeça a oportunidade que o Universo está lhe favorecendo.

Quando fazer

Em uma sexta-feira.

Elemento Ar

Estes são os Anjos que fazem parte do elemento Ar:

37. Yesalel
38. Mebahel
39. Hariel
40. Hekamiah
41. Lauviah
42. Caliel
43. Aniel
44. Haamiah
45. Rehael
46. Ieiazel

47. Hahahel
48. Mikael
49. Umabel
50. Iah-Hel
51. Anauel
52. Mehiel
53. Damabiah
54. Manakel

Purifique sua mente por meio da energia do elemento Ar. Você anda muito esquecido, "avoado" com suas coisas, com problemas de concentração e dificuldade para memorizar informações? Então está na hora de solicitar ajuda aos Anjos do elemento Ar.

Leia agora um simples ritual para você invocar a ajuda desses Anjos e purificar sua mente. Para isso, basta você estar vivendo uma situação que envolva a falta de concentração e a dificuldade em memorizar informações.

Ritual do elemento Ar

Simplesmente, abra todas as portas e janelas de sua casa. Deixe o ar entrar em todo o ambiente, purificando as energias nele presentes. Ao notar a purificação do ar em todo o local, faça um pedido aos Anjos do Ar para que Eles "abram um clarão" em sua mente, que purifiquem sua casa com a verdadeira paz e harmonia. Em seguida, agradeça a oportunidade que o Universo está lhe oferecendo.

Outra sugestão: você pode gritar o seu problema ao Universo exatamente ao meio-dia e pedir aos Anjos do Ar a verdadeira paz e harmonia para a sua vida.

Elemento Terra

Estes são os Anjos que fazem parte do elemento Terra:

55. Achaiah
56. Cahethel
57. Haziel
58. Aladiah
59. Laoviah
60. Hahahiah
61. Lecabel
62. Vasahiah
63. Iehuiah
64. Lehahiah
65. Chavakiah
66. Menadel
67. Mebahiah
68. Poiel
69. Nemamiah
70. Ieialel
71. Harahel
72. Mitzrael

Purifique sua mente por meio da energia do elemento Terra. Ultimamente você anda sem dinheiro, desanimado, sem saber como vai pagar as contas, sem esperança na vida? Então está no momento de solicitar a ajuda dos Anjos do elemento Terra.

A seguir, veja um ritual simples para você invocar a ajuda desses Anjos e purificar sua mente. Para isso, basta estar vivendo uma situação que envolva dificuldades financeiras.

Ritual do elemento Terra

No seu cantinho de reflexão, à noite, antes de dormir, feche os olhos e tente relaxar ao máximo seu corpo e sua mente. Convide seu Anjo da Guarda e os Anjos do elemento Terra para que eles fiquem ao seu lado. Respire profundamente e sinta a terra aos seus pés nesse momento. Imagine que as energias negativas estejam subindo pelo seu corpo. Em seguida, imagine pequenos cristais saindo de seu corpo, eliminando todas as impurezas, inclusive desbloqueando suas dificuldades financeiras, e solte-as para o Universo conspirar a seu favor. Por fim, agradeça a oportunidade que o Universo está lhe oferecendo. Sempre que puder, ande descalço na terra.

ANJOS NOSSOS

Como atrair os Anjos para nossa vida

Há uma maneira eficaz de atrairmos os Anjos: transformar a nós mesmos nas qualidades que interessam a eles.

Quando nos concentramos em qualidades como a compaixão, a fé e a tolerância, atraímos seres angélicos que estão tentando ajudar a desenvolvê-las em toda a humanidade. O mundo de hoje está carente dessas qualidades.

Os Anjos agem como mensageiros de Deus, pois se comunicam com a humanidade por meio da inspiração. Quando tornamos nossa vida diária plena de essência espiritual e pedimos aos Anjos que se juntem a nós, criamos a consciência angélica. Essa consciência requer mais do que a simples concentração dos Anjos; ela abrange a percepção de Deus em toda parte e em tudo, bem como o ato de partilhar e de criar essa maravilha com os Anjos.

A consciência angélica nos ajuda a manter vivas bem aqui na Terra qualidades angélicas e a não nos limitarmos a ver a beleza à nossa volta; passamos a senti-la puramente na alma. Também não ouvimos simplesmente a música celestial, pois nosso ser ressoa com ela. Os Anjos, na qualidade de mensageiros do Céu, nos ajudam a fazer da vida uma experiência verdadeira e cheia de sentido. Isso, por sua vez, nos permite elevar a vibração do amor no planeta Terra.

Quem nunca ouviu a frase "voar como um Anjo" para expressar algo gostoso, prazeroso?

Se quisermos ser parte da expansão da luz, do amor na Terra, uma boa maneira de começar é tornar a nossa consciência repleta de Anjos. Começando a desenvolver nossa consciência angélica, percebemos modificações positivas em nossa vida.

Quando redespertamos nossa percepção sobre os Anjos e entregamos a consciência angélica a nossa vida cotidiana, algo se modifica, e passamos a dar conta de uma força maior do que nós, agindo em nossa vida para o bem maior.

Dessa forma percebemos, ouvimos, sentimos, conhecemos e fluímos resultados positivos. Quando os Anjos se tornam um foco positivo em nossa vida, sentimos o forte impulso de nos exprimirmos criativamente.

Os Anjos nos inspiram a deixar que nossa energia criativa inata flua, fazendo nossa própria vida se tornar uma bela criação.

Nascemos com essa energia e a deixamos aprisionada no decorrer da vida, mas temos chances de libertá-la e assim vivermos melhor. Pense nisso, pois este é o chamado dos Anjos...

Em resumo, é necessário que prestemos atenção em tudo que fazemos diariamente. É por meio dessa atenção que expandimos nossa percepção diante dos fatos da vida e entramos em um estado de paz interior e serenidade. Portanto, precisamos manter os pensamentos positivos, resgatar nossa leveza, criatividade, enfim, estar bem conosco. Esses são fatores essenciais para que possamos perceber nossa sincronicidade com o universo espiritual.

Proponho a você, a partir deste momento, que preste mais atenção à própria sabedoria da vida e que se concentre mais nos detalhes, nos sinais, nos sopros, nos toques do Universo. Confie! Os Anjos arranjam coincidências úteis para enviar mensagens. Eles estão sempre presentes aqui conosco, tentando nos ajudar. Muitas vezes, nós é que nos esquecemos deles.

Será que você já percebeu algumas coincidências significativas que ocorreram ou estão acontecendo em sua vida? Anote três coincidências diárias e você vai ficar craque nisso logo, logo!

Quando pedir ajuda ao seu Anjo da Guarda

O Anjo da Guarda é considerado um espírito protetor que pertence a uma escala elevada no plano espiritual. Em que momento o nosso Anjo da Guarda poderá nos ajudar?

- O Anjo da Guarda nos protege das ciladas do inimigo. Ele nos livra de todas as situações destrutivas, negativas. Portanto, quanto mais próximos estivermos de nosso Anjo da Guarda, mais inspirados e sensíveis estaremos a tudo e nos livraremos de toda malignidade.
- Podemos pedir ajuda ao Anjo da Guarda para que Ele nos auxilie em nossas conquistas. Normalmente temos variados desejos e sonhos no decorrer da vida, então podemos, sim, nos conectar com nosso Anjo da Guarda e pedir a Ele que nos ajude nessa caminhada de desafios em busca do sucesso. Podemos pedir auxílio no campo do trabalho, do estudo, para não esquecermos algum evento importante, para nossa família, no trânsito, ao viajar, ao precisar tomar alguma decisão importante, para conseguir um emprego melhor, para nos livrarmos de doenças, em situações emergenciais etc.

Cinco passos para a manifestação do Anjo em sua vida

1. A sua **intenção** vale muito para este **primeiro passo**. Defina um pedido que contenha aquilo que você almeja para sua vida. Acredite e valorize esse pedido com todas as suas forças e carinho.

2. No **segundo passo**, você deve **comprometer-se** com seu pedido com muita fé e dedicação. Tenha certeza do objetivo a ser alcançado e não crie obstáculos e dúvidas em sua mente; apenas se concentre positivamente em sua intenção.

3. O **terceiro passo** exige muita **afirmação**. Visualize seu pedido e faça afirmações em voz alta. Depois, escreva-as ou as desenhe em um papel.

4. A **gratidão** faz parte do **quarto passo**. Agradeça a manifestação como se ela já tivesse sido concretizada. Seja generoso com você, com a vida e com o Divino.

5. O **quinto passo** é o mais complicado: **solte-se**. Como é difícil o ser humano soltar suas metas para o Universo se encarregar delas! Será que você tem essa coragem? Que tal relaxar e deixar as forças Divinas cuidarem do que é seu? Ao pedir ajuda aos Anjos, deixe que Eles se encarreguem de seus problemas, não fique cobrando e se martirizando por causa das soluções. O Universo se encarregará de mostrar a você a melhor resposta para eles.

Podemos afastar os Anjos de nossa vida?

A resposta é sim. Tenha muito cuidado com a palavra "desgraça". Essa palavra é muito forte e significa perda das boas graças, avesso da prosperidade. Indica azar, infelicidade, angústia, falta de misericórdia, de compaixão e exprime pensamentos negativos. Tudo isso nos afasta da presença angelical, deixando assim espíritos sem luz vulneráveis ao nosso redor.

> *Toda folha de grama tem seu Anjo,*
> *que se curva sobre ela e sussurra:*
> *Cresce, cresce!*
> Trecho do Talmude, um dos livros sagrados do Judaísmo.

Como estimular a aproximação de um Anjo?

Sente-se em um local isolado e tranquilo. Respire profundamente até que seu coração se acalme. Só depois peça, por meio de uma prece com muita fé, que o Anjo venha. Será que uma prece feita com suas próprias palavras atrai os Anjos? Com certeza! Eles estão prontos para atendê-lo sempre.

É extremamente importante chamá-lo nas situações difíceis. Eles são sempre suficientes para anular a presença dos seres sem luz à sua volta.

Se você sentir que precisa fazer uma oração para estimular a aproximação de um Anjo, experimente uma das duas a seguir.

Santo Anjo do Senhor

Santo Anjo do Senhor,
Meu zeloso guardador.
Se a ti me confiou a piedade Divina,
Sempre me rege, me guarda,
Me governa e me ilumina.
Amém.

Invocando os Anjos

Anjo Santo, meu conselheiro, inspirai-me.
Anjo Santo, meu defensor, protegei-me.
Anjo Santo, meu fiel amigo, pedi por mim.
Anjo Santo, meu consolador, fortificai-me.

Anjo Santo, meu irmão, defendei-me.
Anjo Santo, meu mestre, ensinai-me.
Anjo Santo, testemunha de todas as minhas ações, purificai-me.
Anjo Santo, meu auxiliar, amparai-me.
Anjo Santo, meu intercessor, falai por mim.
Anjo Santo, meu guia, dirigi-me.
Anjo Santo, minha luz, iluminai-me.
Anjo Santo, a quem Deus encarregou de conduzir-me, governai-me.

O Salmo 91 é considerado o "Salmo dos Anjos". Na Cabala, esse Salmo significa proteção contra as adversidades e malignidades, nos protege contra as negatividades dos maus espíritos, combate a inveja, abençoa nossa casa, nossa família, nos livra dos assaltos, acidentes, combate a desarmonia e proporciona a paz de nosso espírito.

Diante disso, o Anjo da Guarda pode, sim, mudar nossa vida se estivermos conectados com Ele. Então, leia a seguir o Salmo 91 e comece agora mesmo a orá-lo com muita fé, determinação e gratidão!

Salmo 91

Aquele que habita no esconderijo do Altíssimo, à sombra do Onipotente descansará.
Direi do Senhor: Ele é o meu Deus, o meu refúgio, a minha fortaleza, e nele confiarei.
Porque ele te livrará do laço do passarinheiro e da peste perniciosa.
Ele te cobrirá com as suas penas, e debaixo das suas asas te confiarás; a sua verdade será o teu escudo e broquel.

Não terás medo do terror de noite nem da seta que voa de dia,
Nem da peste que anda na escuridão, nem da mortandade que assola ao meio-dia.
Mil cairão ao teu lado, e dez mil a tua direita, mas não chegará a ti.
Somente com os teus olhos contemplarás, e verás a recompensa dos ímpios.
Porque tu, ó Senhor, és o meu refúgio. No Altíssimo fizeste a tua habitação.
Nenhum mal te sucederá, nem praga alguma chegará a tua tenda.
Porque aos seus Anjos dará ordem a teu respeito, para te guardarem em todos os teus caminhos.
Eles te sustentarão nas suas mãos, para que não tropeces com o teu pé em pedra.
Pisarás o leão e a cobra; calcarás aos pés o filho do leão e a serpente.
Porquanto tão encarecidamente me amou, também eu o livrarei; pô-lo-ei em retiro alto, porque conheceu o meu nome.
Ele me invocará, e eu lhe responderei; estarei com ele na angústia; dela o retirarei, e o glorificarei.
Fartá-lo-ei com lonjura de dias, e lhe mostrarei a minha salvação.

Saiba também que esses seres Divinos e maravilhosos podem se manifestar à nossa volta, usando todos os artifícios necessários para que possamos entender os "sinais" enviados por Deus para se comunicar conosco. Basta estarmos atentos a eles.

Os Anjos podem aparecer em qualquer forma que a nossa imaginação aceite ou permita. Você sabia que todo nascimento ou morte é sempre registrado por um Anjo? Ou que são os Anjos que aliviam as nossas dores na medida do possível e da limitação do nosso carma?

São os Anjos Guardiões que velam por nós, que cuidam de nossa jornada de aprendizagem aqui no planeta Terra; e o melhor é saber que os Anjos estão aqui, sempre a nos guardar, proteger e ensinar.

Nunca se esqueça da sua espiritualidade. Lembre-se de ser amigável, cordial e gentil com as pessoas; porque, sem saber, você pode estar diante de um Anjo que conseguiu se manifestar no ambiente terreno.

Quando estamos sorrindo, nossa aura libera uma quantidade absurda de energia, e é essa energia que alimenta e ajuda nossos Anjos a nos ajudar. Sempre existem mais Anjos em um grupo de pessoas que estão se divertindo e sorrindo.

Como chamar seu Anjo da Guarda

O Anjo da Guarda anda atrás de você e tem seu mesmo nome de batismo. Para chamá-lo, basta repetir por três vezes, em voz alta, seu nome de batismo completo.

Finalizo com um pensamento bíblico para reflexão: *"Peçam, e lhe serás dado! Procurem, e encontrarão! Batam, e abrirão a porta para vocês! Pois todo aquele que pede, recebe; quem procura, acha; e a quem bate, a porta será aberta. Quem de vocês dá ao filho uma pedra quando ele pede um pão?"* (Mt 7,7-9).

Correio Angelical

Outra maneira eficaz de conversar com os Anjos é o Correio Angelical. É bem simples e fácil — aliás, como tudo aquilo que se refere ao mundo maravilhoso dos Anjos. Observe como é feito:

- Primeiro, defina qual é o seu pedido, o que você deseja receber do seu Anjo.
- Escreva o pedido num papel bem bonito, especificando o nome de seu Anjo, da tabela dos 72 Anjos Cabalísticos:

Ao meu querido Anjo da Guarda. Busco por meio deste pedido alcançar a graça de (...), de acordo com o meu carma e merecimento, sabendo desde já que é para o bem de todos os envolvidos.

- Coloque o papel em um envelope.
- Feche-o com uma expressão de gratidão no rosto.
- Dobre e lacre a carta e guarde-a dentro da Bíblia, no Salmo correspondente ao seu Anjo (veja a tabela dos 72 Anjos Cabalísticos, nas páginas 52-6).
- Deixe-a dentro da Bíblia por sete dias. No oitavo dia, na hora do seu Anjo (você encontrará o horário também na tabela), queime-a. Assim você estará transformando seu pedido em essência, e ele seguirá para outra dimensão: a dimensão angélica.
- Espere por uma resposta, que poderá vir por meio de intuição, sopro, coincidências, novas oportunidades ou mesmo materializada em algum mimo ofertado por alguém sem motivos aparentes.

Que tal, na sequência, montar um altar para o seu Anjo da Guarda?

Para isso, basta forrar o espaço a ser utilizado com um tecido de cor clara, bem bonito. Os Anjos adoram a luz de velas, então deixe um espaço para acendê-las; elas iluminam e purificam a atmosfera. Mas tome cuidado com o fogo e o tecido: não deixe velas acesas sem supervisão.

Sempre que for conversar com seu Anjo, coloque para tocar uma música tranquila, daquelas que têm harpas e flautas: elas atraem os Anjos para bem pertinho de você, da sua casa, do seu lar. Vivencie essa experiência com alegria em seu coração!

Doze sinais da presença dos Anjos perto de você

1. Uma peninha branca, amarela ou azul cai na sua frente do nada... São Anjos perto de você!
2. Repentinamente, você observa o céu e vê nuvens em formato de Anjo, de coração... Os Anjos estão presentes!
3. De repente você sente um perfume adorável, sem identificar sua fonte, ou aroma de chocolate, de baunilha, de lírio... Certamente os Anjos estão próximos!
4. Bebês e animais de estimação em sua casa. Os bebês riem à toa sem motivo e os animais demonstram muita doçura... Sinais de que os Anjos estão presentes!
5. Você está no carro, toca uma música. Liga a TV, toca a mesma música. Liga o rádio, mais uma vez a música. Mais de cinco vezes com certeza é um sinal de que os Anjos estão no ambiente!
6. Moedas. Achar moedas ou ganhá-las certamente é ajuda financeira dos Anjos. Preste atenção à data da moeda: ela poderá lhe dizer algo.
7. Lampejos de luz, flashes coloridos: os seres de amor estão presentes!
8. Arco-íris: símbolo do amor Divino. O Anjo da Guarda está próximo!
9. Mudança de temperatura. Do nada, você sente uma luz quente dentro de você, um calor nas costas ou um formigamento. Os Anjos estão com você!

10. Sentimentos. O coração se expande de amor de repente. O coração aquece, um amor incondicional por todos: o Anjo está perto!

11. Você vê um anúncio em um outdoor, na traseira de um ônibus ou na fachada de uma loja; são anúncios recorrentes com mensagens semelhantes. São recados dos Anjos!

12. Uma voz suave sussurra, canta em sua mente ou diz coisas em uma suave melodia; é intracraniano. Um sinal de que os Anjos estão com você!

Agradeça os sinais dos Anjos e chame mais sua presença, sua doçura. Sinta suas boas energias e se conecte com essa infinita fonte de luz Divina.

A magia do Anjo da Guarda Restaurador

Vamos agora aprender a nos comunicar com nosso Anjo da Guarda Restaurador, a preparar nossos pedidos para que possamos usufruir das melhores respostas.

O que realmente precisamos restaurar em nossa vida, ou seja, renovar?

Renovar as energias financeiras, pois a situação atualmente não está fácil; renovar a magia do amor no relacionamento amoroso; renovar nosso sentimento de perdão para que tenhamos coragem de praticá-lo; renovar as energias dos relacionamentos afetivos e profissionais; renovar nossas atitudes, sentimentos e pensamentos para que possamos lidar melhor com nossos problemas em família, enfim, conquistar a verdadeira harmonia em nosso coração.

Então, vamos nos comunicar com nosso Anjo da Guarda Restaurador e renovar todas essas energias! Como fazer isso?

Pegue uma folha de papel branco e um lápis. Escreva de forma simples e objetiva seus pedidos nesse papel. Mas o segredo aqui é escrever sobre a graça já alcançada, com um sentimento de gratidão, e não falar sobre um problema a ser resolvido. Por exemplo: você se desentendeu, discutiu, brigou com sua melhor amiga por besteiras. Então, escreva assim o seu pedido:

Ao meu Anjo da Guarda Restaurador, com muito amor e carinho,

Eu (nome) e minha melhor amiga (nome) temos um laço afetivo de amor, paz, amizade, ternura, lealdade, sinceridade, fidelidade e sentimento de perdão. Que essas qualidades permaneçam abundantemente em nossa relação fraterna e afetuosa. Gratidão por você existir em minha vida, amiga (nome)!

E assim você vai escrevendo outros pedidos no papel, de maneira que já tenha alcançado as graças do Universo, de forma positiva, sem mágoas, sem rancores, e sim com a verdadeira paz da conquista, do sucesso. Experimente! Tente fazer isso sem medo de ser feliz!

Complete seus pedidos com a seguinte frase:

Agradeço por todas as conquistas alcançadas em minha vida. Que este sentimento de gratidão se expanda também para todas as pessoas citadas em meus pedidos.

Em seguida, dobre o papel e deixe-o na Bíblia, precisamente no Salmo 91. Ore por uma semana esse Salmo em voz alta com muito amor, fé, paz no coração e sentimento de gratidão na alma.

No oitavo dia, queime o papel na intenção de que seus pedidos já foram realizados com sucesso. Eis o poder da natureza em ação com a magia do elemento Fogo. Reserve as cinzas e jogue-as em um jardim bem bonito e florido. Acredite na energia do Universo Superior, pois seus pedidos já foram materializados e atendidos pelo Anjo da Guarda Restaurador. Aguarde os bons resultados!

Atraia somente as boas ações para sua vida

– Sorria, sorria, sorria...

Você já sorriu hoje? Às vezes estamos de "cara amarrada", com a fisionomia carrancuda, séria, mal-humorados por absolutamente nada de importante.

Sorrir não custa nada e rende muito! Um sorriso enriquece quem recebe sem empobrecer quem dá! Esse gesto dura um segundo, mas seus efeitos perduram para sempre. É o maior símbolo da amizade, da boa vontade, da gentileza, a maior expressão de plenitude que temos.

Ninguém é tão rico que não precise e tão pobre que não possa dar. Um simples sorriso transmite felicidade para muita gente, é o alento para os desanimados, o repouso para os cansados, uma fonte de energia para os tristes e um consolo para os desesperados.

O sorriso não se compra nem se empresta; nenhuma moeda do mundo pode pagar seu valor.

Os Anjos só ficam perto de quem sorri com gosto. Então sorria, sorria e sorria... Além de fazer bem para a alma, faz bem para a saúde. Seja um Anjo na Terra e ilumine as pessoas com uma boa gargalhada.

Uma frase da Madre Teresa de Calcutá para você refletir: *"Seja sempre bom e misericordioso. Nunca deixe que alguém venha até você sem ir embora sentindo-se melhor e mais alegre"*.

– Converse com alguém...

Converse com uma pessoa que você não vê há tempos. Aproveite o momento, ligue para ela e marque um encontro no fim de semana. Convide-a para almoçar em sua casa, para bater um papo, trocar experiências da vida. Os seres humanos, de modo geral, sentem falta dos laços de carinho. É extremamente importante preservarmos esse lado fraternal entre as pessoas. Inspire esse momento e ore bastante para que os Anjos protejam as pessoas de seu convívio.

– Visite sempre pessoas ricas em sabedoria...

Sempre temos uma pessoa que consideramos sábia e amiga verdadeira para nos dar conselhos. É aquela que nos entende melhor, que nos ouve com prazer e que gosta de nós de verdade, pelo que somos. As conversas ou aquilo que fazemos juntos fluem de maneira espetacular. É sempre uma pessoa cheia de brilho, de luz e de percepção. Muitas vezes nos entendemos melhor por intermédio dela. Ela sempre traz luz para algum problema sem fazer força. Sempre que puder, procure essa pessoa para bater um papo sábio e trocar as mais diversas experiências de vida. Saiba que os Anjos também se comunicam conosco por meio dessa pessoa.

– Curta os bons prazeres da vida...

Você curte seus momentos de lazer de corpo e alma? A vida não é somente trabalho. Assista a um bom filme, leia um livro interessante, ouça uma música tranquila, suave e melodiosa. Muitas vezes a história daquele filme, os dizeres do livro ou a letra da música são as mensagens enviadas pelos Anjos para você ouvi-las e senti-las naquele momento. Não se esqueça de que os Anjos são verdadeiros mensageiros de luz e nos enviam sinais a todo momento. Eles vão fazer as mensagens chegarem até você, não importa como. Fique sempre atento aos sinais que a própria vida lhe dá.

– Ajude sempre as pessoas...

Jamais espere que uma pessoa venha lhe pedir ajuda. Crie o hábito de ajudar antes que aconteça o pior; prove que você está com aquela pessoa e por ela sempre. Nunca se sabe se a pessoa (até mesmo desconhecida) solicitando ajuda é um Anjo disfarçado. Inspire sempre a empatia, isto é, coloque-se no lugar do outro antes de tomar atitudes impensadas. Por sua vez, aceite sempre a ajuda das pessoas ao seu redor, não seja orgulhoso.

– Ame as plantas, os animais, a natureza...

É por meio da sua sintonia com as plantas, os animais e a natureza que os Anjos estão sempre presentes. Eles adoram tudo que é belo e da criação de Deus. Converse com as plantas, as flores, abrace uma árvore, comunique-se com a bela e Divina natureza que temos. Passeie em um parque, faça um piquenique com sua família, sinta a chuva, o Sol, o vento, caminhe descalço pela praia. Certamente você renovará suas energias ao lado dos Anjos.

– Viva a vida com paixão e crie situações novas...

Algumas pessoas ficam aborrecidas a maior parte do tempo de sua vida. Tente não ter esse tipo de atitude: é uma ofensa para sua alma, uma verdadeira bobagem. Se você está aqui hoje, agora, neste momento, lendo este livro, por exemplo, é porque você merece esta sábia leitura sobre os Anjos; a vida está lhe dando de presente esse aprendizado. Peço a você, de coração e alma, que não desperdice sua vida com maus pensamentos, energias negativas, frustrações alheias, fofocas e coisas ruins. Seja feliz, viva a vida com a alma inteira e plena, crie e recrie situações novas a serem vivenciadas, perceba que a vida é cheia de possibilidades. Supere os desafios e amplie seus limites, não se esquecendo de que os Anjos estão com você e por você em qualquer momento de sua existência.

A vida é um grande palco que a cada dia oferece um novo aprendizado, uma nova situação para você lidar. Portanto, tenha amor-próprio, erre e acerte quantas vezes forem necessárias. Não deixe a vida passar no anonimato, perdoe-se sempre e aos outros também. Tente se concentrar em energias positivas, cheias de luz e brilho. Doe amor, paz, harmonia, aceite-se, aceite o próximo do jeito que ele é e faça também as pessoas felizes. Os Anjos agradecerão a você pela belíssima atitude de viver a vida com paixão.

Os Anjos e nossa casa

Você sabia que o contato com os Anjos começa na sua própria casa?

Abra diariamente as janelas para deixar entrar o ar, a luz. Os Anjos adoram a limpeza, os aromas, a beleza nos ambientes e falam conosco por meio da brisa que entra pela janela, pelo raio do Sol que nos ilumina.

Então, mantenha sua casa sempre limpa, arejada e organizada. Jogue fora tudo aquilo que esteja atrapalhando sua vida, dê uma geral em seu armário e no guarda-roupa e doe objetos e roupas que você não utiliza mais. Após essa limpeza, visualize uma luz branca entrando em sua casa, purificando todo o ambiente de seu lar.

Capriche nessa faxina, faça com vontade. Quando acabar, que tal embelezar sua casa com flores e plantas? Compre também frutas e coloque-as na fruteira, borrife as cortinas ou alguma almofada do sofá com aquele perfume que você ama. Deixe sua casa tinindo, linda e perfeita!

Os Anjos também adoram cheiro de bolo, cheiro de biscoito, água perfumada (aposte em lavanda!), crianças, animais e, sobretudo, brincadeiras e risadas...

Por fim, ore com fé, indo de canto a canto da sua casa e parando em cada um. Visualize a presença dos Anjos e peça proteção a eles dizendo:

Cada casa tem um canto.
Cada canto tem um Anjo.
Em nome do Pai, do Filho e do Espírito Santo.
Amém.

Como montar um altar sagrado dos Anjos em casa

- Escolha um local de sua casa em que você se sinta bem, onde você poderá orar, fazer suas preces. Seu cantinho de silêncio, bem arejado e iluminado.
- Monte seu altar em uma mesinha bem legal, de madeira, se possível. Caso não tenha, improvise uma mesa, mas é fundamental gostar da peça que está utilizando.
- Onde posicionar a mesa? O altar sagrado deverá estar de frente para o leste, onde o Sol nasce.
- Coloque sobre a mesa uma toalha, preferencialmente de cor branca. O branco representa a paz, a pureza, a limpeza, a espiritualidade.
- Sobre a mesa, coloque um baralho cigano completo e aberto. Isso fortalecerá ainda mais sua ponte espiritual.
- Prepare uma taça de água com mel. A água simboliza sentimento, emoções, representa vida, pureza. Essa água com mel pode e deve ser tomada por todos da casa e deve ser substituída a cada quatro dias.
- Coloque sobre a mesa três velas: uma de cor azul (Arcanjo Miguel), outra de cor rosa (Arcanjo Samuel) e, por último, uma branca (Arcanjo Gabriel). A cor azul nos auxilia contra o medo, a depressão, a angústia e nos dá coragem na tomada de decisões difíceis. A cor rosa promove a harmonização dos conflitos afetivos e familiares. A branca nos inspira a espiritualidade.

- Coloque também uma vela em formato de Anjo sobre a mesa. Dessa forma, você fortalecerá ainda mais seu laço Divino.
- Escolha uma imagem de Anjo bem bonita e coloque sobre a mesa. Essa imagem será responsável pela sua proteção.
- Vá distribuindo todos os apetrechos de forma harmoniosa sobre a mesa. Em seguida, coloque bolinhas de gude, uma forma de agradecimento por todas as conquistas em sua vida.
- Acrescente um quartzo rosa, um verde, um transparente e um olho grego. O quartzo rosa é indicado para atrair a energia do amor, da compaixão nos relacionamentos. O quartzo verde nos proporciona saúde e ligação com a natureza, além de promover a energia da prosperidade em nossos desejos. O quartzo transparente favorece a proteção, a cura e o poder. Já o olho grego é um poderoso amuleto contra as energias e influências negativas, principalmente a inveja, e também nos proporciona boa sorte.
- Deixe no altar também uma Bíblia pequena, aberta no Salmo 91. Esse Salmo tem o poder de revigorar nossa fé diária e crença na vida, atrai a proteção Divina, as boas energias e tem o poder de afastar as vibrações energéticas ruins.
- Sobre a Bíblia, deixe um terço branco. O terço é a terça parte do rosário. É considerado um conjunto de orações, de atos de amor em que podemos meditar os principais mistérios da fé.
- Se você desejar escrever seu singelo pedido aos Anjos, tenha sobre a mesa papel branco, lápis, um saquinho branco e uma fitinha amarela. Depois de escrever seu pedido a lápis no papel, coloque-o dentro do saquinho

branco e amarre-o com a fitinha amarela. Assim que seu pedido for atendido, retire o papel do saquinho, agradeça imensamente ao Universo e faça outro pedido, caso seja preciso.

Anjos e velas

É extremamente importante acendermos uma vela para nosso Anjo da Guarda. Esse gesto é um meio de reforçarmos nosso pedido, nossa oração e nos conectarmos intensamente com nosso Anjo Protetor. Nas chamas da vela são ativadas as energias do Universo com intensa luz, brilho e cores.

Aconselho você a criar o hábito de se conectar com seu Anjo, mas não se limite somente ao seu: expresse seu gesto Divino, alterando as cores das velas. Para um trabalho de Magia Angelical, é importante comprar as velas mais limpas, altas, sem quebraduras e, se possível, feitas com cera de abelha.

Ao adquirirmos nossas velas para o início de um ritual, devemos nos conectar com elas por meio de uma unção, que deverá ser feita da seguinte forma: unte seus dedos (indicador e médio) com azeite de oliva, óleo de milho ou de girassol. Passe-os sobre a vela. Se você ungir de cima para baixo (do pavio para a base), você vai atrair o que deseja. Ungindo de baixo para cima (da base para o pavio), vai afastar aquilo que deseja. Saiba que ungir a vela com óleo significa abençoá-la.

Para acender e apagar uma vela:

- Acender sempre com fósforos. O ato de riscar o fósforo é simbólico.
- Ao apagá-la, nunca assopre, pois a essência do Anjo que está próxima pode diluir-se no Éter. Além disso, não é

aconselhável usar o sopro da vida (ar) para destruir (apagar) a luz.

Simbologia das cores das velas

Azul: esta cor simboliza a fidelidade, a paz, a harmonia, a compreensão espiritual, a limpeza e a transparência de comportamento. Acenda uma vela azul para fazer pedidos relacionados a negócios, atrair dinheiro.

Amarelo e laranja: as velas nessas cores são indicadas para dar vida, alegria, força, entusiasmo, poder e vigor à mente. Acenda velas nessas cores para fazer pedidos em que a inteligência e a sabedoria precisem ser aguçadas.

Branco: esta cor simboliza a pureza e a fidelidade. Acenda uma vela branca para fazer pedidos que ativem a paz, a harmonia pessoal e do ambiente. Indicada para limpeza e sinceridade.

Dourado: para a invocação do Arcanjo Miguel. Simboliza a prosperidade.

Marrom: esta cor simboliza a solidariedade e a paciência. Acenda uma vela marrom para pedidos relacionados à justiça.

Violeta: é a cor da transmutação, indicada para transmutar o ódio em bondade e também para a cura espiritual.

Rosa: esta cor simboliza a beleza e o amor. Acenda uma vela cor-de-rosa para pedidos relacionados a laços afetivos e moralidade.

Verde: esta cor simboliza a fartura, a harmonia, a verdade. Acenda uma vela verde para fazer pedidos relacionados à saúde, ao equilíbrio emocional e à fertilidade.

Vermelho: esta cor simboliza o dinamismo, a força, a coragem e o amor. Acenda uma vela vermelha para pedidos urgentes. Não é indicado acendê-la para pessoas doentes, pois é uma cor excitante.

Compreendendo a mensagem das velas

- *Vela queimando com luz azulada*: presença de Anjos e fadas.
- *Quando o pavio se divide em dois*: o pedido foi feito de forma dúbia.
- *A vela não acende prontamente*: o Anjo não conseguiu ancorar.
- *Vela com a chama vacilante*: o Anjo mostra que seu pedido terá alguma mudança, devido às circunstâncias.
- *Chama que levanta e abaixa*: sua mente pode estar um pouco tumultuada, pensando em várias coisas ao mesmo tempo.
- *Ponta brilhante no pavio*: aumento de sucesso ou de sorte.
- *Chama dando a impressão de subir em espiral*: seus pedidos serão alcançados. O Anjo está levando e encaminhando a mensagem.
- *Quando a vela "chora"*: o Anjo vê dificuldade em realizar o pedido.
- *Quando a vela solta fagulhas*: o Anjo utilizará alguma pessoa para transmitir a mensagem que deseja. Entretanto, você pode ter algum desapontamento antes de o pedido ser realizado.
- *Quando fica um pouco de cera ao redor do pavio que sobrou*: o Anjo pede uma oração.

Não custa lembrar: nunca deixe uma vela acesa sem supervisão.

Anjos e cores, fragrâncias florais e incensos

As cores que atraem os Anjos são:
Rosa: Anjos Guardiões.
Azul: Anjos da Cura.
Amarelo: Anjos da Sabedoria.
Vermelho-carmim: Serafins, os Anjos mais próximos de Deus.

As fragrâncias que atraem os Anjos são:
Jasmim e rosa: Anjos da Guarda.
Pinho: Anjos da Cura.
Sândalo: Anjos da Criatividade.
Madressilva: Anjos Mensageiros.
Lilás: Anjos da Felicidade.
Gardênia: Anjos Exterminadores de preocupações e Corretores da prosperidade.

Os incensos que atraem os Anjos são:
Para amor: almíscar, jasmim, maçã, rosa, lótus, ópio, sândalo ou patchuli.
Para limpeza: alecrim, arruda, eucalipto, canela ou cravo.
Para espiritualidade: mirra, violeta ou rosa.
Para meditação: violeta, mirra, rosa ou verbena.
Para acalmar: alecrim, alfazema, flor de maçã ou jasmim.
Para atrair os encantados: pinho, eucalipto ou maçã.
Para o estudo: alfazema, lótus, jasmim ou rosa.

Para energização: canela, eucalipto ou cravo.
Para o signo de Áries: almíscar, sândalo ou ópio.
Para o signo de Touro: pinho, eucalipto, cravo ou canela.
Para o signo de Gêmeos: rosa ou alecrim.
Para o signo de Câncer: maçã ou alfazema.
Para o signo de Leão: patchuli, almíscar, sândalo ou ópio.
Para o signo de Virgem: rosa, alfazema ou benjoim.
Para o signo de Libra: maçã ou rosa.
Para o signo de Escorpião: almíscar, ópio ou eucalipto.
Para o signo de Sagitário: cravo, canela ou rosa.
Para o signo de Capricórnio: lótus ou alecrim.
Para o signo de Aquário: violeta ou rosa.
Para o signo de Peixes: violeta, alecrim ou alfazema.

Anjos e Alma Gêmea

Os Anjos são seres puramente de amor, sábios e apresentam o dom de levar nossas mensagens até Deus. Você sabia que Eles também nos ajudam a encontrar nossa Alma Gêmea?

Apesar de algumas pessoas se acharem incapazes de se casar ou viver um grande amor, fique sabendo que todo ser humano tem sua Alma Gêmea e que a encontrará um dia. Não é uma tarefa fácil e prática; pode demorar uma vida ou talvez várias. Acredite em você e tenha a certeza de que todos nós encontraremos nosso verdadeiro parceiro de amor em algum momento. Seja paciente e terno!

Quem é nossa Alma Gêmea?

Nossa Alma Gêmea é nossa metade perdida. Se todos forem em busca da sua, certamente a encontrarão. Considero uma missão descobrir nossa Alma Gêmea, sendo o primeiro passo acreditar na existência dela.

É possível ter uma ideia de como será nossa Alma Gêmea?

A resposta é sim. Os nossos próprios sonhos e fantasias se encarregam disso: o nosso inconsciente envia para o nosso consciente uma imagem da nossa futura Alma Gêmea. Para que você sintonize essa energia positiva, é preciso que esteja feliz com a vida — e não por um período de tempo, mas o tempo todo. Isso o ajudará a manter o contato com a Divindade, a luz e os Anjos para lhe auxiliarem nesse processo.

Nunca se sabe se sua Alma Gêmea está longe de você, em outra cidade, em outro estado ou talvez em outro país. Ela também pode estar perto da esquina da sua casa, no ambiente de trabalho, no shopping passeando em um fim de semana, na fila do mercado, em um churrasco na casa de um amigo, nas futuras amizades etc. Lembre-se de que nada acontece por acaso nesta vida; está tudo certo, perfeito, e devemos nos preparar para reconhecer a sorte que nos bate à porta.

Como será o encontro?

Será maravilhoso, com certeza! A pessoa baterá um papo com você e a impressão que você terá, talvez, é que vocês já se conhecem há muito tempo, gostam das mesmas coisas, dos mesmos filmes, de viajar, de estudar, de passear nos fins de semana, de curtir a família, de se dedicar ao trabalho, enfim, viver a vida intensamente.

Como identificar nossa Alma Gêmea?

A Alma Gêmea é uma pessoa muito proativa, comprometida com a vida, pura, carinhosa, carismática com as pessoas ao seu redor, honesta, viva, entusiasmada, alegre, generosa, mais dá do que recebe e não se preocupa com isso, valoriza de imediato o SER e não o TER, sem cobranças. É um amor totalmente desinteressado. Em outras palavras, não é um amor de negócios.

Como será o relacionamento com nossa Alma Gêmea?

O relacionamento entre Almas Gêmeas não tem obrigações a serem cumpridas por ambas as partes; é na verdade uma parceria diária para a realização de tarefas e a conquista dos objetivos em comum. A convivência com sua Alma Gêmea baseia-se na paz, na harmonia, no amor, no perdão, na paciência, no equilíbrio, na fé, na coragem, na dedicação mútua, na troca de ideias e experiências, na sinceridade sem rancor, sem mágoa recolhida, sem gritos, sem brigas, sem medos, sem orgulho, sem preconceitos. Ambos estarão de alma presente na alegria ou na tristeza, na saúde ou na doença, na pobreza ou na riqueza.

O amor de Almas Gêmeas é incondicional, inesgotável. Quanto mais o relacionamento avança, mais aumenta o amor de cada um, tornando-se um amor pleno, único e que também subsiste em outras vidas; é puramente eterno.

O que devemos fazer para atrair nossa Alma Gêmea?
Devemos ter pensamentos positivos, falar sempre palavras generosas e amorosas que sirvam de conforto para o outro, cultivar a caridade, a humildade, fazer o bem pelo bem, estudar, orar, orar e orar, amar a vida, as pessoas, o planeta Terra. Com certeza, com a prática do amor em sua vida, você abrirá portas de luz para encontrar sua Alma Gêmea.

Haniel e Anael são os Anjos protetores das Almas Gêmeas. Eles ajudam você a encontrar sua "cara-metade".

Que tal orar para Anael e Haniel e pedir que Eles o ajudem a encontrar sua Alma Gêmea? Ore com muita fé e faça seu pedido (as orações se encontram nas páginas 32 e 34-5).

Mitologia do Anjo Cupido, Querubim do Amor

Eros é considerado, nas mitologias Grega e Romana, o "deus do Amor", sendo conhecido também como Cupido. Segundo estudos, seria o mais belo de todos os deuses. É um dos Anjos mais conhecidos na história da humanidade. Sua simbologia remete ao deus do Amor, responsável por atração sexual, amor, paixão e sexo. É cultuado também como o deus da fertilidade.

Tornou-se muito popular por meio da obra do poeta grego Hesíodo. Isso no século VIII a.C. Esse poeta descreveu a magia do Amor de Eros como uma energia cósmica e pura de atração, qualidade esta que une todos os seres do planeta.

Ao longo da história, muitos filósofos e poetas estudaram o assunto, e as pesquisas têm muito a dizer sobre a origem do Anjo Cupido. Fala-se da origem do Anjo, a princípio, como uma força criada a partir do Caos. Mais adiante, é descrito como filho de um deus com uma mortal. Em pesquisas mais recentes, Eros pode ser filho de Afrodite, "deusa do Amor", com Ares, considerado "deus da Guerra".

Eros às vezes é descrito como um garotinho gracioso, com asas, cabelos louros, uma aparência que transmite a energia da inocência, da pureza e que tem ao mesmo tempo um semblante travesso, simbologia que nos remete à eterna juventude do amor profundo, sincero, aventureiro e terno, qualidades presentes também na personalidade de um rapaz. Ele porta arco e flecha, instrumentos perfeitos para capturar uma grande paixão. Além disso, seus olhos estão vendados, inspirando-nos a um amor cego e avassalador.

O escritor e filósofo romano Apuleio criou a história de Eros e Psiquê (princesa mortal), isso no século II d.C.. Nessa interpretação, Afrodite (mãe de Eros) sugere ao filho que use uma de suas flechas para fazer Psiquê se apaixonar por uma criatura horrível. Afrodite tem ciúme, inveja da beleza infinita de Psiquê, por isso ordena tal atitude a Eros. Porém algo dá errado nesse plano. Quando Eros resolve cumprir a ordem de sua mãe, apaixona-se loucamente por Psiquê.

Com o passar do tempo, as duas irmãs de Psiquê se casam e ela fica só. Todos temem a beleza de Psiquê, por isso ninguém deseja se envolver com ela para desfrutar do verdadeiro amor.

Seus pais ficam preocupados com a cólera Divina sobre o destino da filha e vão consultar o famoso Oráculo de Apolo. Na consulta, o Oráculo sugere aos pais que conduzam sua filha a uma colina, lugar onde seria levada por uma criatura horrível que tornaria Psiquê sua mulher. Os pais seguem o conselho do Oráculo, pois acreditam e muito nessa energia. Dias depois, Psiquê é deixada no alto da colina e lá ela dorme serenamente. Mas nada está acabado! Surge Zéfiro (considerado o vento do oeste), a pedido de Eros, para salvar a encantadora princesa. E isso se cumpre definitivamente. Zéfiro leva Psiquê para um lindo castelo. Lá, após um tempo, ela acorda com todo aquele encanto e ao mesmo tempo com medo, pois estava aguardando uma criatura horrível que a levaria para outro lugar. Eros fica sabendo disso e resolve aparecer para ela, mas apenas no período noturno, para que ela não se assuste com suas asas. O encontro acontece e o Anjo Cupido abre seu coração com palavras puras e sábias dirigidas a Psiquê, ocultando-se por medo de assustá-la. A princesa aos poucos se apaixona por Eros, sentindo-se entusiasmada pela magia do amor.

Um dia, Psiquê fica preocupada com a tristeza de suas irmãs. Elas acham que a princesa está desgostosa com a vida, já que estaria vivendo com uma criatura horrorosa. Pelo contrário, Psiquê está infinitamente feliz com a presença de Eros e, para provar isso às irmãs, pede permissão ao seu príncipe encantado para que elas possam visitá-la e saber como está sua situação naquele momento. As irmãs comparecem ao castelo para fazer a visita, constatando que a princesa está vivendo um momento extremamente feliz.

Mesmo assim, as irmãs ficam desconfiadas de Eros, pois ele não revela realmente sua imagem, já que aparece somente à noite. Ao longo da conversa entre Psiquê e as irmãs, elas sugerem que a princesa conheça a verdadeira aparência de seu príncipe por intermédio de uma vela e uma faca. Se fosse uma criatura terrível, Psiquê deveria matá-lo com a faca.

E Psiquê cumpre o pedido das irmãs. À noite, Eros aparece e ela espera que ele adormeça. Após ele cair em sono profundo, Psiquê acende a vela, aponta para o semblante de Eros e se surpreende com uma beleza jamais vista. Sem querer, ela derruba um pingo de cera da vela sobre o ombro do príncipe. Imediatamente Eros desperta, fica angustiado e decide desaparecer, declamando que o amor não pode viver sem confiança.

Psiquê fica desesperada, triste, apreensiva e se arrepende do que fez. Ela resolve, então, atravessar o mundo em busca de seu grande amor perdido. Em pouco tempo chega até Afrodite, mãe de Eros, que lhe determina várias provas impossíveis em troca de seu filho. Em meio a diversas surpresas, a princesa consegue cumprir a maioria das provas solicitadas pela mãe do Cupido. Mas ainda resta uma última evidência para ela ter direito a encontrar Eros. Psiquê tem de trazer uma caixa contendo um pouco da beleza da rainha dos infernos, Perséfone. Infelizmente, Psiquê se deixa levar pela tentação: por temer perder o grande amor de sua vida, decide abrir a caixa, desejando recuperar a beleza perdida aos olhos do príncipe. Ela não encontra nada na caixa, porém cai adormecida e banhada pela beleza da morte.

Agora, como fica o fim da história? Eros, em plena recuperação de sua ferida no ombro, consegue fugir de sua mãe para ir ao encontro de Psiquê. Chegando ao castelo, o príncipe encontra a princesa adormecida. Isso não é problema para ele, que resolve despertar sua amada com a ponta de uma de suas flechas. E dá certo! Eros desperta Psiquê do sono profundo. E então eles se casam e a princesa se torna imortal. Após o enlace encantador, Afrodite nada mais pode fazer para separar o grandioso amor de Eros e Psiquê.

É dessa forma que chega ao fim o enredo romântico de Eros e Psiquê, que permaneceram juntos por toda a eternidade, construindo assim a magia do amor mais lindo da história.

Ainda segundo a mitologia, o Anjo Cupido é também descrito como um menininho rechonchudo com asinhas douradas. Imagine por um instante esse Anjo! Esses auxiliares celestiais pertencem a uma categoria chamada de Anjos da Conexão e Coordenação, ou seja, os Anjos da Guarda dos Relacionamentos. Eles estão presentes em todo casal e em toda amizade.

Esses Anjos trazem descobertas felizes e inesperadas, encontros amorosos. Acredite que você tenha uma "alma idêntica" aguardando por você! É isso mesmo! Já fez o seu pedido direitinho para o Universo? Espero que sim.

Faça seu pedido ao Anjo da Conexão e peça a Ele que seja o mediador de seu futuro relacionamento. Não necessariamente o relacionamento amoroso, conforme estamos tratando aqui especificamente: pode ser também o relacionamento no ambiente de trabalho, na escola ou na família.

Veja agora algumas dicas para se preparar para viver um grande amor.

- Encha sua casa de flores.
- Use sempre roupas de tons rosa, branco ou azul-claro.
- Aceite o AMOR em seu coração.
- Leia sempre poesias e poemas.
- Coloque a pedra quartzo rosa em seu quarto.
- Ore com muita fé o Salmo 111 às 21h15, faça seu pedido sempre em tempo presente e agradeça, agradeça, agradeça por tudo.
- Ouça sempre músicas suaves e românticas e assista a filmes românticos. Isso tudo fará um bem danado para sua alma.

Oração ao Anjo Cupido

Você deseja um amor verdadeiro para sua vida? Ultimamente seu relacionamento amoroso está passando por dificuldades? Ou você deseja fortalecer os laços amorosos com o(a) parceiro(a)? Então, não deixe de apreciar esta maravilhosa oração que preparei para o Anjo Cupido, Anjo do Amor, mensageiro de Deus que o ajudará a transcender os desafios amorosos. Tenha fé e faça seu pedido com sinceridade, amor e gratidão.

Oração ao Anjo Cupido

Anjo Cupido, força sublime, íntegra, plena, representado pela magia e energia do Amor. Vós, que conheceis a glória suprema do amor Divino, ajudai-me a conquistar o verdadeiro amor para minha vida e que faça meu coração novamente palpitar de alegria. Vós sabeis de todas as minhas necessidades terrenas (faça seu singelo pedido ao Anjo Cupido), fazei com que meus dias de solidão e tristeza se acabem em minha alma na mais perfeita harmonia, paz interior e equilíbrio. Ajudai-me a sentir o verdadeiro amor por alguém (se você já tem um pretendente, mencione o nome neste momento) e também ser correspondido por ele.

Sobretudo, ensinai-me a amar, a ser amado e a respeitar esse sentimento tão puro, Divino e mágico na vida do ser humano.

Eu vos rogo que ninguém saia ferido, que seja a conquista de um amor verdadeiro, sincero, autêntico, genuíno para ambas as partes. Iluminai minha alma com um pouco de sua inteligência, sabedoria e sentimento de amor, e que se desfaça qualquer tipo de energia negativa que esteja atrapalhando minha caminhada amorosa.

E, já confiante no sucesso de meu pedido, que esse Amor seja declarado, fortalecido pela magia do encanto, possa ser multiplicado por dois corações, seja uma energia intensa de paixão, integridade agregadas à sabedoria emocional e espiritual, e, acima de tudo, a magia da fidelidade esteja presente todo momento.

Peço-vos ainda, Anjo Cupido, que nos protejais, nos ampareis em todas as situações vividas, em todas as dificuldades, desafios, que se faça valer vossa bênção, vossa glória, vossa inspiração, vossa luz. Sejamos também cobertos pelo manto da Virgem Maria, e que esta oração definitivamente abra as infinitas portas da prosperidade amorosa.

Eu deposito esta prece em vossas mãos Divinas, Anjo Cupido, na certeza de que serei atendida brevemente. Assim seja. Gratidão.

Amém.

Rezar três vezes a Ave-Maria e três vezes o Pai-Nosso.

Altar sagrado do Anjo Cupido

Para quem está sozinho, passando por dificuldades na vida amorosa, está à procura de um novo amor, deseja seu amor de volta ou ainda almeja colocar um ponto-final na solidão, acender uma vela ao Anjo Cupido e fazer seu singelo pedido a Ele com muita fé, determinação, carinho e confiança é uma ótima pedida.

Para isso, basta acender a vela correspondente a sua intenção (de acordo com a cor) ao Anjo Cupido e fazer seu singelo pedido com fé. É aconselhável somente um pedido por dia. Em casos de pedidos mais difíceis, faça a cada sete dias. Confie em sua oração, em sua prece, pois ela abre portas infinitas para a prosperidade e o sucesso na vida a dois.

Antes de acender a vela correspondente ao seu pedido, que tal montar um simples e singelo Altar Sagrado para o Anjo Cupido em seu lar?

Enfeite seu Altar Sagrado do Amor com uma toalha branca ou rosa, com flores e uma pedra de quartzo rosa. Deixe a Bíblia aberta no Salmo 111 e escolha a vela de acordo com seu pedido (verificar a cor). Confira:

Vela de cor VERDE ao Anjo Cupido: para abrir caminhos no relacionamento amoroso

A Magia desta vela é para quem está triste, anda deprimido com a vida amorosa, se sente sozinho ou carrega mágoas do antigo relacionamento vivido. Funciona também para viúvos e viúvas na abertura de novos caminhos para o amor.

Vela de cor BRANCA ao Anjo Cupido: para eliminar conflitos, brigas, discussões, sentimento de ciúme

A magia desta vela é para quem deseja acabar com desentendimentos, brigas, discussões, conflitos, sentimento de ciúme presentes no relacionamento amoroso. É interessante você mencionar o nome do casal em seu singelo pedido e solicitar harmonia e equilíbrio na vida conjugal.

Vela de cor AMARELA ao Anjo Cupido: para acabar com o sentimento de solidão

A magia desta vela é para quem se sente só, para acabar com o sentimento de solidão e estar pronto para conquistar ou ser conquistado por uma nova paixão.

Vela de cor AZUL ao Anjo Cupido: para fortalecer o compromisso

A magia desta vela é para quem deseja fortalecer, firmar, levar a sério o compromisso do relacionamento amoroso, unir os laços amorosos. É aconselhável escrever o nome do casal neste pedido.

Vela de cor ROSA ao Anjo Cupido: para quem deseja reatar ou evitar separações

A magia desta vela é para quem deseja reatar, restabelecer o compromisso do relacionamento amoroso ou ainda para evitar futuras separações. Funciona também para relacionamentos confusos, conturbados, estressados, em pedidos de serenidade, bom senso e sabedoria para lidar com diferentes situações.

Vela de cor VERMELHA ao Anjo Cupido: para quem deseja apimentar a vida a dois

A magia desta vela é para quem deseja acabar com a rotina, apimentando assim a vida a dois. Funciona também para conquistar alguém, seu amor verdadeiro.

Os Anjos nos diferentes momentos do dia

A magia dos Anjos da manhã

Experimente um dia a sensação de acordar bem cedo, antes do raiar do sol, e sinta o encantamento do amanhecer. É muito belo e Divino! Cada amanhecer confirma nossa existência, a beleza do Universo e será um dia mais poderoso que o anterior.

Segundo a Antroposofia, ciência espiritual, a teoria desenvolvida pelo alemão Rudolf Steiner nos explica que o Sol é o iniciado mais adiantado de todo o nosso sistema. Ele é um ser muito importante para nós em termos espirituais em virtude das fortes radiações de luz e calor.

Observe que antes do amanhecer prevalece a lei do silêncio, da serenidade, da adoração, até que o Sol apareça. É nesse momento que somos animados a receber essa energia de luz e iniciamos um novo dia, repleto de fé e esperança pela vida.

Certamente, recebemos ondas de renovação a cada amanhecer. Aproveite e se exercite. Respire profundamente e deixe sair todo o ar que se acumulou nos pulmões durante a noite e entrar o ar renovado da manhã. Com certeza você terá mais saúde física e espiritual após esse exercício.

Agora é com você. Que tal abençoar todas as suas manhãs com a oração a seguir?

Oração da manhã

Espíritos esclarecidos e benevolentes, mensageiros de Deus, que tendes por missão assistir aos homens e conduzi-los pelo bom caminho, sustentai-me nas provas desta vida; dai-me a força de suportá-la sem queixumes; livrai-me dos maus pensamentos e fazei que eu não dê entrada a nenhum mau Espírito que queira me induzir ao mal. Esclarecei a minha consciência com relação aos meus defeitos e tirai-me de sobre os olhos o véu do orgulho, capaz de impedir que eu os perceba e os confesse a mim mesmo.

A vós, sobretudo, meu Anjo Guardião, que mais particularmente velas por mim, e a todos vós, Espíritos protetores, que por mim vos interessais, peço fazerdes que me torne digno da vossa proteção. Conheceis as minhas necessidades; sejam elas atendidas, segundo a vontade de Deus. Assim seja!

A magia dos Anjos do meio-dia

Esse horário é a ocasião especial do dia. Os raios do Sol trazem a energia poderosa dos Anjos. Nesse momento, a presença do Sol, nossa estrela, é forte, bela, Divina, atinge uma posição extraordinária e pode nos energizar com mais eficácia.

Você sabia que o meio-dia é o único período do dia em que não existe nada entre nós e o Sol? A forte radiação ainda prevalece por mais meia hora. Essa energia exerce forte influência sobre nosso corpo etéreo, principalmente quando estamos ao ar livre.

Que tal uma oração do meio-dia para você brilhar?

Oração do meio-dia

Meu Deus, permita que os bons Espíritos que me cercam venham em meu auxílio, quando me achar em sofrimento, e que me sustentem se desfalecer. Faze, Senhor, que Eles me incutam fé, esperança e caridade; que sejam para mim um amparo, uma inspiração e um testemunho da tua misericórdia. Faze, enfim, que neles encontre eu a força que me falta nas provas da vida e, para resistir às inspirações do mal, a fé que salva e o amor que consola. Assim seja!

A magia dos Anjos do anoitecer

À noite, as ondas de energia que se retiram fazem com que nos dediquemos a uma reflexão sobre o dia. Ao observar o pôr do sol, percebemos que estamos sendo estudados por poderes que vão registrar o resultado da sua análise nos planos do nosso desenvolvimento pessoal. É durante a noite que a maior parte do mundo da Natureza tem suas reuniões e iniciações.

Os espíritos da Natureza trabalham com um fervor tão intenso que durante o dia há pouca comunicação entre eles. À noite, é diferente. Os Anjos vigilantes da noite saúdam os seres humanos que consciente ou inconscientemente se deixam tocar. Encontrar um desses seres puros é como ser tocado por uma brisa perfumada.

Se entrássemos no reino etéreo, iríamos passar por muitos Anjos da noite, cuja luz se concentra ao redor do rosto, como se fossem velas para iluminar o caminho. Essa ordem é das mais amorosas que tocam a vida do homem.

Que tal uma prece do anoitecer para você dormir bem?

Oração da noite

Espíritos bem-amados, Anjos Guardiães que, com a permissão de Deus, pela sua infinita misericórdia, velais sobre os homens, sede nossos protetores nas provas da vida terrena. Dai-nos força, coragem e resignação; inspirai-nos tudo o que é bom, detende-nos no declive do mal; que a vossa bondosa influência nos penetre a alma; fazei que sintamos que um amigo devotado está ao nosso lado, vê os nossos sofrimentos e partilha das nossas alegrias. Assim seja!

Nomes de Anjos para bebês e seus significados

Que tal você saber o significado de alguns nomes de Anjos para que possa nomear seu futuro bebê? Vamos a algumas sugestões?

Amitiel – Anjo da verdade.

Anapiel – Anjo cujo nome significa "ramo de Deus".

Araqiel – Anjo com domínio sobre a Terra.

Balthioul – Anjo com o poder de impedir a angústia.

Barakiel – Anjo de luz.

Barrattiel – Anjo de apoio.

Camael – Anjo cujo nome significa "aquele que vê Deus".

Chamuel – Arcanjo cujo nome significa "aquele que busca a Deus".

Cochabiel – Anjo príncipe que está diante de Deus.

Daniel – Significa "Deus é meu juiz". Vem do hebraico *aniyyel*, formado pela junção dos elementos *Dan*, que quer dizer "aquele que julga", e El.

Diniel – Anjo que protege os bebês.

Dubbiel – Anjo cujo nome significa "urso-Deus".

Duma – Anjo príncipe dos sonhos.

Dumah – Anjo do silêncio.

Emmanuel – Anjo cujo nome significa "Deus conosco".

Gabriel – "Homem de Deus" ou "fortaleza de Deus". Tem origem no hebraico Gabriel, composto pela união dos elementos *gébher*, que significa "homem forte", e El, que quer dizer "Deus".

Hamaliel – Anjo que governa a ordem das virtudes.

Haziel – Anjo cujo nome significa "Deus de misericórdia".

Hemã – Anjo líder do coro celestial, cujo nome significa "confiança".

Hermesiel – Anjo que leva um dos coros celestiais.

Kabshiel – Anjo da graça e do favor.

Kakabel – Anjo que governa estrelas e constelações.

Metatron – um dos maiores Arcanjos, abaixo apenas de Deus.

Miguel – "Quem é como Deus?". Tem origem no hebraico *Mikhael*, formado pela junção dos elementos *mikhayáh* e El.

Mihr – Anjo da misericórdia Divina.

Miniel – Anjo invocado para induzir o amor.

Natanael – Anjo que decide sobre as coisas ocultas, fogo e vingança.

Pathiel – Anjo cujo nome significa "abertura de Deus".

Peliel – Anjo que governa as virtudes.

Qaspiel – Anjo que governa a Lua.

Rachmiel – seu nome significa misericórdia.

Rafael – "Deus curou" ou "curado por Deus". Tem origem no hebraico *Rephael*, nome composto pela união dos elementos *Repha*, que significa "curou", e El.

Raguel – Anjo que vigia o comportamento dos Anjos, "amigo de Deus".

Rahmiel – Anjo da misericórdia e do amor.

Ramiel – Anjo que supervisiona visões e almas durante o dia de julgamento.

Sabathiel – Anjo cujo nome significa inteligência.

Sablo – Anjo de bondade e proteção.

Sachiel – Anjo cujo nome significa "cobertura de Deus".

Samuel – "Seu nome é Deus". Tem origem no hebraico *Shemu'el*. O primeiro elemento tem relação com o aramaico *shem*, que é interpretado como "nome".

Serafim – Significa "ardente", "incandescente". Vem do hebraico *Seraphim*, de *seraph*.

Shamsiel – Anjo cujo nome significa "luz do dia".

Sophia – Anjo cujo nome significa "sabedoria".

Sorath – Anjo que é o espírito do sol.

Soterasiel – Anjo cujo nome significa "que agita o fogo de Deus".

Temeluch – Anjo Guardião que protege recém-nascidos e crianças.

Theliel – Anjo príncipe do amor.

Uziel – Anjo cujo nome significa "força de Deus".

Zagzagel – Anjo príncipe da sabedoria.

Zazriel – Anjo cujo nome significa "força de Deus".

Zehanpuryu – Anjo cujo nome significa "aquele que liberta".

Zuriel – Anjo cujo nome significa "minha rocha é Deus".

Orações do Anjo da Guarda para crianças

1. *Anjo da Guarda,*
Doce companhia,
Não me desampare
Nem de noite nem de dia.

2. *Anjinho da Guarda,*
Meu bom amiguinho,
Me leve sempre
Pelo bom caminho.

3. *Ó Anjo da minha guarda,*
Que me protege e ilumina,
Ajude-me todo o dia
A ser uma boa menina.

4. *Santo Anjo do Senhor,*
Meu zeloso guardador.
Se a ti me confiou
A piedade Divina,
Sempre me rege, me guarda,
Me governa e ilumina.
Amém.

As idades mediúnicas e os Anjos

Em nossa vida, temos as fases de encontro e de reencontro com nossos Mentores, Anjos e Arcanjos.

7 anos

Até os 7 anos de idade, a aura da criança é acoplada com a da mãe. A partir dos 7 anos, o Anjo da Guarda assume a criança definitivamente, individualmente, sem a mãe. É o primeiro contato mediúnico que a criança tem com o Anjo da Guarda na ausência da mãe.

12 anos

O Anjo se aproximará da criança para "falar baixinho" no ouvido dela, o que chamamos de intuição. O Anjo irá interagir com a criança, portanto ela terá muita mediunidade, clarividência e vidência.

21 anos

Grandes poderes espirituais estão em ação. Aqueles que são videntes e clarividentes irão se manifestar de forma absoluta e total, portanto. A leitura cósmica é bastante forte nessa fase.

28 anos

Há necessidade de trabalhar espiritualmente, principalmente os médiuns ostensivos.

45 anos

Você está preparado para trabalhar com cura e autocura. Para tanto, os Anjos irão induzi-lo por meio de intuições, como aplicar um reiki, por exemplo.

60 anos

É o encontro definitivo com seus Anjos, inclusive com o Anjo da Morte. Ele nos preparará dos 60 aos 80 anos para que partamos felizes. Você poderá conversar e interagir com ele. Isso não significa que vamos morrer cedo; podemos, sim, pedir vida longa aos Anjos para que possamos cumprir bem a nossa missão terrena.

A melhor idade e os Anjos

Em razão da pressa presente em nossa vida, muitas vezes esquecemos de que um dia chegaremos à melhor idade, isto é, seremos idosos. Para que correr tanto hoje se ficaremos idosos daqui a alguns anos? Será que você corre ao seu favor ou contra você mesmo?

Digo isso porque nossas ações de hoje, a cada dia, terão reflexos amanhã em problemas fisiológicos, psicológicos, emocionais, espirituais etc.

O dia de amanhã depende também de todas as atitudes que você pratica diariamente. Então, se você é jovem, como está se preparando para a velhice? Você presta atenção nas pessoas idosas em sua família, na vizinhança, nas ruas? Você sabe ouvir um idoso? Você dá o devido valor para a sabedoria que um idoso tem a oferecer a você? Ou baseia o relacionamento com o idoso na impaciência e na intolerância? É essencial que você pense seriamente, o quanto antes, nessas questões, propostas com amor e carinho. Reflita sobre esse assunto com clareza, sentimento, bom senso, respeito e paciência.

A vida é rica em aprendizado, experiências e sabedoria, portanto é somente com o avanço da nossa idade que compreendemos tudo isso. A nossa vivência diante de determinadas situações da vida a cada ano que passa nos prepara para sermos mais sábios, equilibrados e conscientes.

Quando chegamos realmente à velhice, em alguns casos a realidade é desagradável e muito cruel para conosco. É muito comum presenciarmos famílias internando os idosos em asilos, em clínicas geriátricas, em casas de repouso, quando a autoridade e a dignidade deveriam ser compartilhadas com os seus próprios familiares. E, infelizmente, testemunhamos as consequências dessa atitude impensada: a solidão, a estupidez, a perda da autoestima, o desafeto, a inutilidade. Isso jamais ocorre em alguns países orientais, em culturas nativas, entre os índios.

Os tabus sobre a velhice nos afastam da verdadeira essência e sabedoria da vida, afinal os idosos fazem parte de um longo processo social e cultural.

Que tal você, internamente, refletir com seu Anjo da Guarda sobre tudo o que leu neste pequeno texto e pedir em suas orações a humildade, a paciência, a sabedoria e a generosidade para o tempo de hoje, do agora e do amanhã? Reflita sobre isso com ternura em seu coração!

A espiritualidade dos animais e os Anjos

Os animais têm instinto apurado e são puros, além de se comunicar com uma linguagem própria de acordo com cada espécie. Eles são inferiores à raça humana e apresentam liberdade limitada de ação, pois não têm o livre-arbítrio.

A ciência afirma que os animais têm uma inteligência rudimentar conforme suas necessidades. Mas a espiritualidade dos animais vai mais além. Eles são seres que agem pelo instinto, que amam o ser humano, sentem as energias do ambiente e também as humanas. São extremamente sensíveis a tudo que os rodeia.

Será que realmente os animais têm uma ligação direta com o outro mundo? Os felinos realmente podem enxergar os mortos e alertar os seus donos sobre uma presença espiritual?

Testes científicos realizados em laboratórios de parapsicologia revelam que os animais podem desenvolver estranhas habilidades paranormais.

Você já teve a impressão de que seu animal o compreende mesmo sem você falar absolutamente nada? A impressão foi confirmada cientificamente. Alguns animais possuem a hiperestesia indireta, ou seja, uma faculdade paranormal pela qual eles conseguem perceber mensagens telepáticas, principalmente de seus donos. A conversa psíquica com os animais pode ser desenvolvida com treinos, e para isso já existe a psicoveterinária, um ramo da psicologia direcionado aos animais.

Na Antiguidade, os egípcios já acreditavam que os felinos conseguiam ver a alma das pessoas e acessar o mundo dos mortos. Por causa dessa crença, quando um faraó nobre ou um sacerdote falecia, um gato era sacrificado e enterrado junto com o morto. A sabedoria egípcia dizia que o gato iria despertar na morte e levar o espírito para o além, seu destino final.

Vale lembrar que o gato apresenta a espiritualidade aguçada no olhar; já o cachorro a apresenta no focinho.

Os gatos assistem e sentem tudo. Jamais duvide disso! Eles têm uma visão aguçada e podem sentir as energias eletromagnéticas negativas do ambiente, pois sentem o local onde estão, percebem a energia do ódio, da tristeza.

Não é à toa que os gatos têm sete vidas, pois são animais livres, espertos, independentes e caçadores. Eles são considerados bichos sagrados por transmitirem vida, alegria, amor e energia positiva para as pessoas e afastar as almas trevosas do ambiente, além de possuir o poder da hipnose.

O cachorro também é um animal maravilhoso para o ser humano. Ele é o verdadeiro amigo do homem, nosso fabuloso Anjo da Guarda, pois não tem nenhuma maldade, é um ser puro, age por instinto, ama realmente o seu dono, sem nenhum interesse. Ele sente, por exemplo, quando o dono está triste ou prestes a morrer, ou seja, ele tem a premonição da morte; consegue enxergar a aura das pessoas, perceber se elas estão tristes ou não, se estão com encostos. Muitas vezes o cachorro se assusta ao ver algo estranho.

Ele também tem o poder de "quebrar quebranto", isto é, de afastar a inveja da sua aura, de quebrar as energias negativas e de eliminar tudo de maldade humana que você possa apresentar. Dependendo do caso da maldição que caia sobre o ser humano, o cachorro poderá sofrer com queda dos pelos ou até mesmo morrer em virtude da energia pesada sobre os seus donos.

E o que acontece quando o cachorro morre? Quando isso acontece, ele reencarna na mesma família em aproximadamente 60 dias, pois os cães não são espíritos errantes como nós, que precisamos passar um tempo em outro plano para corrigir os erros cometidos. Que Divino e angelical é o nosso animal de estimação!

Vale mencionar que não só os cachorros e os gatos são os amigos angelicais do homem em todos os sentidos. O golfinho, a baleia, a águia, a tartaruga, a coruja, o papagaio e o pica-pau, por exemplo, também têm seus valores, atributos positivos e angelicais:

- A baleia e o golfinho pensam dezesseis vezes mais rápido que o ser humano, e é por isso que são considerados os seres mais inteligentes do planeta.
- A águia representa a força e tem a visão mais aguçada do reino animal.
- A tartaruga tem casa própria, passeia devagarinho e sempre.
- A coruja apresenta o poder da magia, consegue enxergar em 360 graus e representa os nossos ancestrais.
- O papagaio também consegue ver tudo e sabe de tudo, pois a sua espiritualidade é aguçada.
- O pica-pau representa a justiça em nossa vida.

Será que os animais têm Anjo da Guarda?

Sim, com certeza. Existem espíritos que cuidam de um grupo de animais. À medida que eles vão evoluindo, o atendimento do astral vai sendo individualizado.

Devemos respeitar os animais, pois eles são seres maravilhosos e estão aqui para nos ajudar. Futuramente não haverá mais a necessidade de o ser humano matar os animais para complementar sua alimentação. O próprio ser humano está evoluindo cada vez mais para comer somente grãos, legumes e verduras.

Todos nós devemos, sim, ter um animalzinho em casa para nos proteger e fazer companhia. Cuide do seu com todo o amor e carinho. Ele merece!

Enfim, os animais também são nossos Anjos da Guarda e, com certeza, nos livram de muitas energias maléficas com sua doçura e proteção angelical!

Banho para estar mais pertinho de nosso Anjo

Ingredientes

– 2 litros de água morna
– erva-cidreira
– erva-doce
– mel

Como fazer

Macere nos 2 litros de água um punhado de erva-cidreira e erva-doce. Acrescente um pouco de mel. Banhe-se com esse preparo do pescoço para baixo. Deixe secar naturalmente.

Quando fazer

Em uma sexta-feira.

Ritual para ancorar São Miguel Arcanjo

Ingredientes

– 1 prato branco
– 1 vela do seu Arcanjo (verificar a correspondente ao seu signo neste livro, a partir da página 56)
– 1 Vela do Arcanjo São Miguel
– 1 Mão Simbólica do Arcanjo São Miguel (ver ao lado)

Como fazer

Coloque a Mão Simbólica do Arcanjo São Miguel no centro do prato. Acenda a Vela do Arcanjo São Miguel sobre a Mão Simbólica. Ore um Pai-Nosso dizendo: "*Que os Arcanjos, mensageiros de Jesus me iluminem, me tirem do mal, me livrem da maldade e tristeza. Amém*". Acenda a vela do seu Arcanjo do lado direito do prato. Coloque um copo de água do lado direito da vela e troque-o todos os dias, orando um Pai-Nosso.

Quando fazer

Em uma sexta-feira.

Mão Simbólica do Arcanjo São Miguel

Ritual para ancorar seu Arcanjo (49 dias de Luz)

Ingredientes

– 1 vela do Arcanjo da pessoa (verificar a correspondente ao seu signo neste livro, a partir da página 56)

Como fazer

Acenda a vela do Arcanjo da pessoa. Coloque um copo de água do lado direito da vela. Troque-o todos os dias, orando um Pai-Nosso pedindo "luz, saúde física mental e espiritual". Antes de terminar a primeira vela, acenda outra. Não permita que a chama de luz se apague, pois ela precisa iluminar a alma da pessoa. Faça o ritual por 49 dias consecutivos. As velas não poderão se apagar. Com a chama de uma vela, acenda a outra. A primeira vela deverá ser do Arcanjo da pessoa para o equilíbrio da aura. As outras velas poderão ser brancas. Para pessoas depressivas, alcoólatras, drogadas e que desejam um milagre.

Quando fazer

Iniciar esse ritual em uma quarta-feira.

Simpatia para conexão com o Anjo da Guarda

Ingredientes

– 1 prato branco fundo
– ½ quilo de arroz
– 1 vela branca (em formato de rosa, preferencialmente)
– 1 vaso de uma planta branca ou rosa

Como fazer

Primeiramente, coloque o arroz dentro do prato branco. No centro do prato, coloque a vela branca. Em seguida, coloque o vaso de planta ao lado do prato. Na sequência, acenda a vela com um fósforo e diga (com os olhos fechados): *"Eu peço a conexão com meu Anjo da Guarda, peço que você venha, que você me abençoe, que me cubra com as suas asas, que me livre do mal, (faça outros pedidos) e estou ancorando o Anjo da Guarda para mim e também para as pessoas (nomes das pessoas)".*

Quando fazer

Em uma sexta-feira, às 10 horas da manhã.

Limpeza espiritual dos 21 dias – São Miguel Arcanjo

Essa limpeza promove a abertura total de seu caminho amoroso, profissional, financeiro e espiritual.

Ingredientes

– 1 vela de seu Arcanjo (veja a correspondente ao seu signo neste livro, a partir da página 56)

Como fazer

Acenda a vela do seu Arcanjo. Coloque um copo de água do lado direito dela. Troque-o todos os dias, orando um Pai-Nosso. Antes de terminar a primeira vela, acenda outra, não permitindo que a chama de luz se apague. Faça isso por 21 dias consecutivos. A primeira vela deverá ser do seu Arcanjo. As outras poderão ser velas brancas de sete dias. Ore durante 21 dias a Oração do Arcanjo Miguel pedindo um milagre.

Oração Poderosa do Arcanjo Miguel

Eu apelo ao Cristo para acalmar os meus medos e para apagar todos os mecanismos de controle externos que possam interferir com esta cura.

Eu apelo ao meu Eu Superior para que feche a minha aura e estabeleça um canal Crístico para os propósitos da minha cura, para que só as Energias Crísticas possam fluir até mim. Não se poderá fazer qualquer outro uso deste canal que não seja para o fluxo de Energias Divinas.

Agora, apelo ao Arcanjo Miguel para que sele e proteja completamente esta sagrada experiência.

Agora apelo ao Círculo de Segurança da 13ª Dimensão para que sele, proteja e aumente completamente o escudo de Miguel Arcanjo, assim como para que remova qualquer coisa que não seja de natureza Crística e que exista atualmente dentro deste campo.

Agora apelo aos Mestres Ascensos e aos meus Amparadores Crísticos, para que removam e dissolvam, completamente, todos e cada um dos implantes e as suas energias semeadas, parasitas, armas espirituais e dispositivos de limitação autoimpostos, tanto conhecidos como desconhecidos.

Uma vez completado este trabalho, apelo pela completa restauração e reparação do meu campo de energia original, e que seja infundido com a energia dourada de Cristo.

EU SOU livre! EU SOU livre! EU SOU livre!
EU SOU livre! EU SOU livre! EU SOU livre!
EU SOU livre!

Eu, o ser conhecido como (dizer o nome completo) nesta encarnação em particular, por este meio, revogo e renuncio a todos e cada um dos compromissos de fidelidade, votos, acordos e/ou contratos de associação que já não servem ao meu Bem Supremo, celebrados nesta vida, em vidas passadas, em vidas paralelas, em todas as dimensões, períodos de tempo e localizações.

Eu, agora, ordeno a todas as entidades, organizações e associações a mim ligadas por esses contratos, que cessem e desistam, e que abandonem o meu campo de energia, Agora e para Sempre, de forma retroativa, levando todos os seus artefatos, dispositivos e energias semeadas. Renuncio também a tudo aquilo que em mim oferece resistência, dificulta ou impede a materialização e a realização plena dos dois decretos anteriores, agradecendo às Hierarquias de Cristo e da Luz, por todo o trabalho que em mim realizaram, por todo o trabalho que estão a realizar neste mesmo instante e por tudo aquilo que irão fazer nesse sentido.

Para assegurar isto, eu agora apelo ao Sagrado Espírito SHEKINAH para que seja testemunha da dissolução de todos os contratos, dispositivos e energias semeadas que não honram a Deus. Isto inclui todas as alianças e seres que não honram a Deus como Pai Supremo. Ademais, eu agradeço ao Espírito Santo por "testemunhar" a libertação completa de tudo o que infringe a vontade de Deus. Eu declaro isto adiante e retroativamente. Que assim seja.

Eu agora volto a garantir a minha Aliança com Deus e entrego-me ao domínio do Cristo em mim, e volto a dedicar todo o meu Ser, o meu corpo físico, mental, emocional e espiritual à vibração de Cristo, desde este momento em diante e de forma retroativa.

Mais ainda, dedico a minha vida, o meu trabalho, tudo o que penso, digo e faço à vibração de Cristo e também todas as coisas no meu ambiente, que ainda me servem.

Por conseguinte, dedico o meu Ser à minha própria mestria e ao caminho da ascensão, tanto do planeta Terra como o meu em particular.

Tendo declarado tudo isto, eu agora autorizo ao Cristo e ao meu próprio Eu Superior para que façam as mudanças necessárias na minha vida para acomodar e materializar esta nova dedicação, e peço ao Espírito Santo que testemunhe isto também.

Eu agora declaro isto a Deus. Que seja escrito no Livro da Vida. Que assim seja. Graças a Deus.

Eu, decididamente, declaro ao Universo, à Mente de Deus e a cada ser Nela contido, a todos os lugares onde tenha estado, a todas as experiências das quais tenha participado, e a todos os seres que necessitam desta cura, por mim conhecidos ou desconhecidos: qualquer coisa malresolvida e desarmônica que se mantenha entre nós, eu agora curo e perdoo.

Eu agora apelo ao Santo Espírito Shekinah, ao Senhor Metatron, ao Senhor Maitreya e a Saint Germain para que ajudem e testemunhem esta cura. Eu os perdoo por tudo o que necessite ser perdoado entre eles e mim. Eu peço-lhes que me perdoem, por tudo o que necessite ser perdoado entre eles e mim.

Aqui e agora, eu perdoo-me a mim próprio por tudo o que necessite ser perdoado nesta vida e por tudo o que necessite ser perdoado entre as minhas encarnações passadas e o meu Eu Superior.

Estamos agora coletivamente curados e perdoados, curados e perdoados, curados e perdoados.

Todos estamos agora elevados ao nosso Ser Crístico. Nós estamos plenos e rodeados com o amor dourado de Cristo. Nós estamos plenos e rodeados da dourada Luz de Cristo. Nós somos livres de todas as vibrações de dor, medo, culpa e ira, da 3ª e 4ª Dimensões. Todos os cordões e laços psíquicos unidos a essas entidades, dispositivos implantados, contratos ou energias semeadas, estão agora removidos e curados.

Eu agora apelo a Saint Germain para que transmute e retifique, com a Chama Violeta, todas as minhas energias que me foram tiradas e, agora, as retorne a mim no seu estado purificado.

Uma vez que estas energias regressaram a mim, eu integralmente determino, com todo o meu Ser, que esses canais por meio dos quais se drenava minha energia sejam dissolvidos completamente. Eu agradeço ao Senhor Metatron por nos libertar das cadeias da dualidade. Que o selo do Domínio de Cristo seja colocado sobre mim. Eu agradeço ao Espírito Santo por testemunhar este ato e atestar que isto se cumpra. E assim é.

Eu agora expresso a minha profunda gratidão a Cristo por estar sempre comigo, e pela cura de todas as minhas feridas e cicatrizes. Eu agora expresso a minha profunda gratidão ao Arcanjo Miguel por ter me marcado com o seu selo, de modo a que eu seja protegido para sempre das influências que me impedem de fazer a vontade do nosso Criador Supremo.

Assim É! Eu dou graças a Deus, aos Mestres Ascensos, aos Anjos e Arcanjos, e a todos os outros que participaram deste ato de cura e elevação contínua do meu Ser!

Selah.

Santo, Santo é o Senhor Deus do Universo!

("Kodoish, Kodoish, Kodoish, Adonai Tsebaioth!")

Portal Angelical

Você deseja um cantinho angelical em sua casa? Saiba como prepará-lo!

Ingredientes

– 1 vaso de lírio-da-paz
– 1 vaso de margaridinhas coloridas
– 1 cristal de sua preferência (incolor)
– 1 copo com água mineral
– 1 colher (sopa) de mel
– Essência de baunilha
– Essência de rosa branca

Como fazer

No primeiro dia do ano ou no primeiro dia de Lua Nova ou em 20 de março, que é o início do Ano Astrológico, escolha um cantinho de sua casa que você ame. Coloque uma planta de sua preferência, como um vaso de margaridas ou um lírio-da-paz.

Coloque seu cristal preferido, com algumas imagens de seus Santos queridos, de Anjos, um copo com água e um pingo de mel. Abra a Bíblia no Salmo 9.

Nesse dia, após seu banho, jogue do pescoço para baixo dois litros de água com 10 gotas da essência de baunilha e 10 gotas da essência de rosa branca. Vá até o local, imagine seres angelicais e recorra aos Anjos sempre que precisar. Ore o Salmo 91 em voz alta, faça um pedido com muito amor e assim terá!

Bolo dos Anjos

Que tal preparar um bolo em homenagem aos Anjos? Assim você se diverte, brinca e aproveita esse momento de paz, harmonia e alegria enquanto segue a receita. Acrescente a ela algumas pitadas de amor, ternura, paz, perdão, compaixão e humildade. Estas duas sugestões de receita foram elaboradas com todo o amor e carinho para você.

Ingredientes

– 3 ovos
– 1 ½ xícara de óleo de girassol
– 2 xícaras (chá) de açúcar mascavo
– 2 cenouras raladas
– 3 xícaras (chá) de farinha de trigo
– 1 colher (sopa) de bicarbonato de sódio
– 1 colher (sopa) de baunilha
– 1 colher (sopa) de canela em pó
– Chantili
– 10 morangos

Como fazer

Misture bem o óleo, o açúcar e os ovos. Adicione os ingredientes restantes e misture bem. Coloque numa forma untada e polvilhada com farinha. Deixe assar por aproximadamente 45 minutos.

Cobertura: chantili (cubra o bolo com bastante creme) e os morangos para enfeitar o bolo.

Quando fazer

Faça aos domingos e ofereça aos Anjos a alegria da sua realização!

Dica: utilize uma forma arredondada para assar o bolo, pois esse formato representa a espiritualidade.

Outra sugestão de massa e cobertura de bolo: você poderá também preparar um bolo com massa de pão de ló branca. Depois de assado, recheie com chocolate e doce de leite e cubra com bastante chantili. Coloque sobre o bolo uma vela palito branca. Faça seus pedidos aos Anjos. Em seguida, acenda a velinha, cante parabéns aos Anjos e coma o bolo com amor.

Reserve o primeiro pedaço e deixe em um jardim lindo, oferecendo-o aos Anjos.
Dica: use mel para adoçar o bolo. E o prepare em um domingo!

Dicas para atrair bons fluidos para sua vida com a ajuda dos Anjos

Segunda-feira
– Ore para o Arcanjo Gabriel e use alguma peça de roupa na cor branca.
Terça-feira
– Ore para o Arcanjo Samuel e use alguma peça de roupa na cor vermelha.
Quarta-feira
– Ore para o Arcanjo Rafael e use alguma peça de roupa na cor verde.
Quinta-feira
– Ore para o Arcanjo Saquiel e use alguma peça de roupa na cor azul.
Sexta-feira
– Ore para o Arcanjo Anael e use alguma peça de roupa na cor rosa.
Sábado
– Ore para o Arcanjo Cassiel e use alguma peça de roupa na cor lilás.
Domingo
– Ore para o Arcanjo Miguel e use alguma peça de roupa na cor branca.

Aprenda a fazer um Talismã Angelical

Talismãs são objetos usados para atrair a sorte, a proteção. Podem ser também imagens gravadas em pedra, metal ou papel influenciadas pelos signos celestes, aos quais se atribuem energias sobrenaturais de concretização dos desejos de quem os usa.

Eles são chamados também de encantos, de amuletos. São funcionais ou decorativos, como cálices, esculturas, gravuras, máscaras, uma chave, uma figa, enfim, tudo aquilo que sua intuição determinar.

Agora que você já sabe o que são os Talismãs, que tal aprender a fazer um Talismã Angelical anti-inveja? Mãos à obra!

- Escreva em um pedaço de papel branco o versículo 11 do Salmo 91, considerado o mais poderoso da nossa Bíblia:

Nada poderá me atingir. Em minha casa não haverá doenças nem desavenças. Pois o Senhor deu ordens aos Anjos para que guarde Seu filho por onde quer que ele caminhe. Amém.

- Dobre o papel e coloque-o dentro de um saquinho de cor vermelha (essa cor protege contra a inveja, o famoso olho gordo). Aproveite, nesse momento, para fazer um pedido e orar para seu Anjo da Guarda.
- Guarde o saquinho sempre perto de você, dentro da bolsa, por exemplo.
- Indique esse talismã para seus familiares e amigos. Ele é nota mil para afastar os inimigos ocultos.

Mandala Angelical

A palavra Mandala é de origem hindu e significa "círculo mágico". Trata-se de um círculo de pura energia, sendo o espaço dentro do círculo considerado um símbolo do "espaço sagrado", resultando numa representação gráfica da relação dinâmica entre o Homem e o Cosmo.

Como é formada uma Mandala?

Uma Mandala é formada por desenhos geométricos, basicamente círculos, quadrados e triângulos, que se entrelaçam compondo imagens simbólicas. Esse entrelaçamento forma um imenso círculo contendo várias imagens significativas.

Para que servem as Mandalas em sua vida?

Desde os tempos mais antigos até a atualidade, as Mandalas têm sido usadas como referência para a meditação, para suavizar as dificuldades da vida, para atrair abundância material e sucesso profissional, para atrair as energias, harmonizar o ambiente, transformar as energias negativas em positivas, para a autocura, auxiliar em problemas no relacionamento amoroso e familiar, para manter a conexão com os Anjos.

Podemos brincar com as Mandalas e nos expressar por meio delas. Vamos fazer uma Mandala Angelical? Atente aos detalhes:

- Você pode desenhar um círculo (de preferência com a ajuda de um compasso) e fazer pequenos desenhos, como vitrais, e pintá-los.
- Ou pode utilizar a bela Mandala de asas de Anjos a seguir. Basta recortar (ou copiar) e pintar como a imaginação mandar:

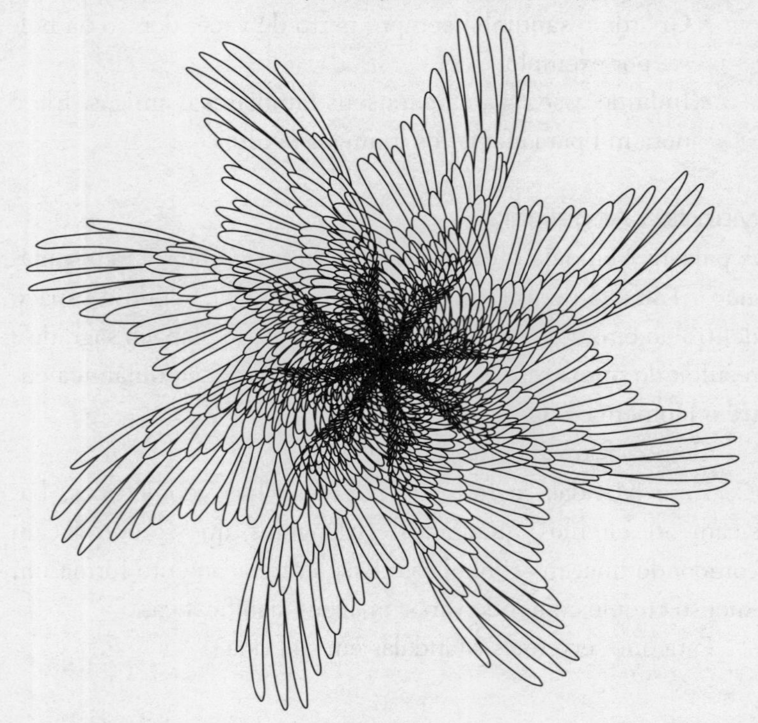

- Para colorir, ponha toda a sua inspiração para trabalhar. Use cores que lhe agrade muito. Deixe sua Mandala bem colorida!

Essa Mandala estará com sua energia, sua luz, sua criatividade, e certamente trará harmonia pessoal e espiritual ao local onde você a colocar.

Crie suas Mandalas, faça quantas quiser. Carregue-as com você ou deixe-as no local em que preferir.

A ajuda dos Anjos para o perdão

Como está seu coração espiritual? Ele está relaxado ou acelerado porque praticou alguma ação que não deveria? Jamais esqueça de chamar os Anjos quando você precisar deles, principalmente no momento de um perdão. Mas o que significa perdoar?

A palavra "perdão" é de origem grega e significa cancelar ou remir uma obrigação. O perdão é um ato de amor incondicional pelo próximo. Dentro de um conceito bíblico, o pecador é um devedor espiritual. Até mesmo Jesus Cristo usou linguagem figurativa quando ensinou os discípulos a orar: "*... e perdoa-nos as nossas dívidas, assim como nós temos perdoado aos nossos devedores...*" (*Mt 6,12*).

O perdão deve iniciar dentro de você mesmo. Aproveite este momento e faça uma lista das situações que demandam o ato de perdoar. Peça ao seu Anjo da Guarda para ajudá-lo nessa tarefa. Veja a seguir algumas situações que podem acontecer diariamente com você, então, perdoe-se por meio da sua imensa fé no Divino. São elas:

- Pare de se queixar da vida
- Pare de criticar as pessoas ao seu redor

- Não julgue as pessoas pela aparência
- Não fique irritado com as pessoas por besteira
- Evite preocupações desnecessárias
- Jamais assuma comportamentos negativos e maléficos
- Jamais perca a fé; confie no Poder Divino
- Evite sentir inveja dos outros; isso faz muito mal para sua alma
- Não tenha medo de liberar o sentimento do perdão
- Confie em si mesmo, acredite no seu taco
- Cultive somente boas amizades e relacionamentos cheios de amor
- Jamais esqueça de chamar os Anjos nos momentos em que precisa e também quando se sentir feliz. Afinal, não podemos nos lembrar deles apenas nas situações de desespero; é extremamente importante agradecer por tudo o que conquistamos

Preces aos Anjos Guardiões e espíritos protetores por Allan Kardec

Gosto de orar esta prece de Allan Kardec todos os dias pela manhã ou à noite, com muita fé, determinação e carinho. Ela nos ajuda a encarar os obstáculos da vida com mais leveza, alegria e persistência com a ajuda dos Anjos e dos espíritos protetores.

Espíritos sábios e benevolentes, mensageiros de Deus, cuja missão é assistir aos homens e conduzi-los pelo bom caminho. Amparai-me nas provas desta vida; dai-me a força de sofrê-las sem lamentações; desviai de mim os maus pensamentos, e fazei que eu não dê acesso a nenhum dos maus Espíritos que tentarem induzir-me ao mal. Esclarecei a minha consciência sobre os meus próprios defeitos, e tirai-me dos olhos o véu do orgulho, que poderia impedir-me de percebê-los e de confessá-los a mim mesmo. Vós, sobretudo, meu Anjo Guardião, que velais mais particularmente por mim, e vós todos, Espíritos Protetores, que vos interessais por mim, fazei que eu me torne digno da vossa benevolência. Vós conheceis as minhas necessidades; que elas sejam satisfeitas segundo a vontade de Deus.

Meu Deus, permite que os Bons Espíritos que me assistem possam ajudar-me, quando me achar em dificuldades, e amparar-me nas minhas vacilações. Senhor, que eles me inspirem a fé, a esperança e a caridade, que sejam para mim um apoio, uma esperança e uma prova da vossa misericórdia. Fazei, enfim, que eu neles encontre a força que me faltar nas provas da vida, e para resistir às sugestões do mal, a fé que salva e o amor que consola.

Espíritos amados, Anjos Guardiões, vós, a quem Deus, na sua infinita misericórdia, permite velarem pelos homens, sede o nosso amparo nas provas desta vida terrena. Dai-nos a força, a coragem e a resignação; inspirai-nos na senda do bem, detendo-nos no declive do mal; que vossa doce influência impregne as nossas almas; fazei que sintamos a presença, ao nosso lado, de um amigo devoto, que assista aos nossos sofrimentos e participe das nossas alegrias. E vós, meu Anjo Bom, nunca me abandoneis. Necessito de toda a vossa proteção, para suportar com fé e amor as provas que Deus quiser enviar-me.

Anjos Caídos

Lúcifer, Satã, Diabo, Demônio são alguns dos nomes cristãos dados e associados a uma entidade que se acredita ser a responsável maior por todos os problemas do mundo hoje em dia.

Afinal, em muitas religiões temos ouvido a seguinte frase: "O Diabo me fez fazer isto!", de maneira que nossas responsabilidades pessoais acabam sendo passadas adiante.

Ouvimos em todas as religiões de base judaico-cristã que Satanás está sempre atrás das pessoas que se devotam a Deus, para tentá-las e desvirtuá-las de seus caminhos, juntamente com seus demônios ou Anjos Caídos, que seguem seu comando prontamente.

Crescemos ouvindo que ele é a força opositora a Deus e, portanto, faz tudo para que os desígnios divinos sejam bloqueados ou impedidos.

Muitos acreditam que ele é livre para fazer o que quiser contra Deus e que seus poderes são ilimitados. Outros creem que ele faz parte dos planos divinos e está a serviço do próprio Deus para nos ensinar a evolução.

Dessa forma, fomos programados ao longo da história cristã para seguir culpando essa entidade, conferindo-lhe poder e autoridade sobre tudo o que fazemos na vida.

Em algumas religiões e cultos ele é tão citado que acaba ganhando lugar de destaque maior que o do próprio Deus.

Vamos começar falando a respeito de como ele vem sendo tratado nos livros sagrados.

Como ele é citado no Velho e no Novo Testamentos da Bíblia? Ele realmente é visto com tanto poder quanto Deus e tem tamanha liberdade a ponto de não responder por seus atos? Existe diferença entre o conceito de Satã e o de Diabo segundo a Torá, livro sagrado do povo judeu?

Essas e outras questões nos vêm à mente quando tratamos deste assunto.

Pode ser uma surpresa para muitos, mas existem diversas influências babilônicas e pagãs a respeito de Satã no próprio judaísmo. A começar pelos mitos dos Anjos Caídos, que se rebelaram contra Deus e mais tarde foram acorrentados e banidos para as trevas por terem se misturado com os humanos que Deus havia criado.

Em algumas épocas da história das religiões, a própria Igreja Católica utilizou a figura do Diabo para assustar os fiéis, a fim de que estes dessem dinheiro para a Igreja — negar-se a contribuir seria sinal de má-fé.

Mas imagine se tudo o que sabemos sobre Satã dentro de nossas religiões não fosse verdadeiro. E se, na realidade, nós formos responsáveis pelos nossos próprios erros e por desvirtuarmos nosso caminho? E se Satã estivesse a serviço do próprio Deus para nos ensinar a sermos fracos e imperfeitos? Se Deus está no controle total de toda a criação, podemos afirmar que o Diabo faz parte de seus planos?

Para compreendermos tudo isso um pouco melhor, vamos voltar ao conceito da criação. Segundo consta, Moisés escreveu os cinco primeiros livros da Bíblia, chamado pelos hebreus de Torá, sendo eles: Gênesis, Êxodo, Levítico, Números e Deuteronômio. De acordo com eles, Moisés escreveu exatamente o que Deus lhe ditou no Monte Sinai.

Temos no início de Gênesis: *"No início, Deus criou o paraíso e a Terra" (Gn 1,1 ESV).*

Ou seja, tudo o que existe foi criado por Deus. Então, por que ele criaria seres que se rebelassem contra ele? Para responder a essa questão, vamos tentar compreender o pecado original.

A Bíblia diz que, depois que o homem foi formado do pó, Deus criou o Jardim do Éden, onde tudo era bom. Nesse jardim existiam duas árvores: a árvore da vida e a do conhecimento do bem e do mal. A árvore da vida promovia vida eterna para as pessoas. Aqueles que se alimentassem dela nunca morreriam. Mas por que Deus criaria uma árvore que nos mostrasse o conhecimento sobre o bem e o mal e nos faria desobedecer-lhe e perturbar toda a sua criação? A resposta é simples: trata-se do conceito de livre-arbítrio. Com as duas árvores, os seres criados poderiam escolher entre a vida e a morte.

Dentro da concepção judaica, a palavra conhecimento é *da'ath* e significa também discernir e compreender com sabedoria, ou seja, a árvore daria ao homem e à mulher a habilidade de discernir e compreender o que era bom e o que era mal. Isso nos remete à serpente que tentou Eva. Seria a serpente também uma criação de Deus?

Acredita-se que a serpente seria a aparição de Satã para tentar Eva. No entanto, sabemos que os hebreus foram escravos dos egípcios durante anos, e também sabemos que as divindades egípcias eram ligadas à figura da serpente. Então, seria a serpente realmente Satã, ou uma alusão de Moisés ao povo que os mantinha em cativeiro?

Existe ainda uma versão, contada pelas antigas civilizações assírio-babilônicas, segundo a qual a primeira mulher seria Lilith. Esta, não aceitando se submeter a Adão, teria fugido e sido acolhida pelos Anjos Caídos, voltando mais tarde para tentar Eva e se vingar de Deus para mostrar que sua criação era fraca.

Seja como for, se pensarmos que Deus é o criador de tudo, a serpente foi criada boa, mas com o papel de enganar Adão e Eva para que eles escolhessem entre a vida e a morte. Sem ela e sem a árvore do crescimento, ambos teriam apenas servido e amado a Deus, sem escolha, como servos e quase escravos. Dessa forma, Deus não criou o homem bom ou mau, mas deu a ele a escolha de ser por meio das árvores.

De qualquer forma, torna-se complexo demais achar que Deus, em sua infinita sabedoria, criaria um ser totalmente mau como o Diabo presente nas religiões.

Ao analisarmos as religiões de maneira mais filosófica, teremos na figura de Satã um ser que está mais para um colaborador dos caminhos divinos do que um opositor.

Mas então como a figura de Satã foi tão "demonificada" ao longo do tempo?

É importante citar que ninguém nos cinco primeiros livros de Moisés viu ou citou Satã como uma entidade maléfica.

Vamos primeiro compreender os nomes em hebraico e como eram vistos naquele tempo. Um nome em hebraico refletia o caráter da pessoa. Por exemplo: Adão significa "humanidade", pois foi o primeiro homem e, portanto, o pai da humanidade.

A palavra "Satã", em hebraico, significa "adversário, opositor". Essa palavra aparece no Livro dos Números, mas não como um demônio. Na passagem em que Balaque, filho de Zippor, que era rei de Moab, viu quão numeroso era o povo de Israel, quando viu seus filhos acampando na planície de Moab, ficou preocupado com a quantidade de pessoas. Ele então enviou um mensageiro a Balaão, o profeta, instruindo-o para amaldiçoar o povo de Israel. Contudo, Deus lhe apareceu e determinou que o povo de Israel fosse abençoado por ele, profetizando a grandeza daquele povo, o que irritou Balaque. O nome Balaão significa devorar, consumir, destruir. Nessa passagem são enviados adversários para combater Balaão, e ali é citado o termo Satã.

Já o termo "Diabo" vem do grego e significa "falso acusador, caluniador" ou, ainda, "fofoqueiro".

E Lúcifer? O nome "Lúcifer" vem das palavras latinas *lux* ou *lucis* (luz) e *ferre* (levar); assim, Lúcifer significa literalmente "portador da luz". Há quem diga que seu verdadeiro nome é desconhecido e que todas essas palavras são formas de se referir a ele. Como Lúcifer se tornou tão comum, acaba parecendo um nome próprio e não uma palavra de outro idioma que não foi traduzida. Há também quem afirme que o seu culto vem das religiões pagãs das bruxas italianas, cujo Deus, Dianus Lucifero, irmão, filho e consorte da Deusa Diana, é o Portador da Luz e Senhor do Esplendor, além de ser o Senhor da Estrela Matutina e Vespertina para os romanos. Foi, posteriormente, associado ao diabo cristão. Também é conhecido como Dis em seu aspecto de Deus da Morte e do Além-Mundo e como **Lupercusem** em seu aspecto de Criança da Promessa, portador da esperança e da Luz.

O mistério da descida à Terra ou "queda" dos Anjos rebeldes — os Anjos solares ou *agnishvattas* — consta ser o mistério aludido nas Escrituras. Assim, não é surpreendente que haja tanta confusão e mal-entendidos em relação aos "Anjos Caídos", dos quais Lúcifer é o representante mais conhecido.

O segredo dos "Anjos Caídos" é essencialmente o mistério que está por trás do próprio Plano da Evolução para a vontade de os Anjos solares "caírem", sacrificarem-se para trazer à luz o princípio da mente para os homens. Marcou a entrada em ação da grande Lei da Dualidade, por meio da qual a matéria, a forma — negativa e passiva — pôde ser vivificada pelo Espírito. Esse ato de sacrifício, na aurora da história humana, é um fio tecido ao longo de todas as grandes escrituras e mitologias do mundo.

O papel dos Anjos solares e seu sacrifício em prol da humanidade são discutidos em profundidade em *A Doutrina Secreta,* de H.P. Blavatsky, como podemos ver na sua afirmação: "Em todas as cosmogonias antigas a luz vem da escuridão".

E realmente, quando estudamos a mitologia, a cosmogonia e a cosmologia das civilizações antigas, encontramos em todas elas explicações para as trevas e a luz, principalmente nos mitos ligados à formação do dia e da noite, como os de Hórus e Seth (egípcio), Mitra (persa), Khrisna (hindu), Attis (frígio), Baldur e Hel (nórdico), entre outros.

Podemos afirmar que, esotericamente, o papel do Anjo da Guarda foi possível graças ao sacrifício dos Anjos solares na preservação do princípio da mente ou, ocultamente, por meio de repetidas encarnações persistentes na forma até que o homem se tornasse pensante e, finalmente, começasse a despertar a sua verdadeira herança espiritual: o homem humano/divino.

Na teologia protestante e católica, o Anjo Caído ou Anjo Decaído é um Anjo que, cobiçando um poder maior, acaba se entregando "às trevas e ao pecado". O termo "Anjo Caído" indica um Anjo que caiu do Paraíso.

Segundo a Bíblia, há textos que afirmam que vários desses Anjos procriaram com humanos, dando origem a uma nova raça, chamada de *nephilins* (mais conhecidos como híbridos), que seriam os descendentes de Caim.

Existem nove Anjos Caídos famosos que influenciam a vida do homem aqui na Terra, segundo consta nos estudos desta área, e que também terão um grande papel durante o Apocalipse, mas nunca devemos chamá-los em voz alta para não atrair sua presença. São eles:

ABADDON: conhecido como o demônio "Destruidor", é considerado uma entidade demoníaca. Muitas vezes é considerado o Anjo obscuro da morte, mas também se acredita que tenha sido invocado por Moisés para arrasar o Egito.

AZAZYEL: esse é o Anjo conhecido por apresentar as armas para o homem. Ensinou a fazer espadas, facas e armaduras para se defender com o intuito de apresentar a guerra com foco na morte. Acredita-se que seu fim no Apocalipse virá depois de desafiar Miguel e Gabriel, assim os Anjos o amarrarão e o deixarão ser julgado pelo Anjo Rafael, com a permissão de Deus. É o Anjo que mais ajuda Lúcifer nos mitos.

LEVIATÃ: é conhecido como um dos governantes do inferno, considerado o príncipe dos demônios. Seu domínio é o orgulho e a heresia. Acredita-se que tem a forma feminina e que habita nas profundezas do mar.

SEMYAZA: é conhecido como líder de falanges de mais de cem entidades de demônios. Foi o Anjo que convenceu os demais a vir à Terra atrás de mulheres que achavam belas. Dessa forma surgiram as relação entre os Anjos e as mulheres, sobre o Monte Armon.

YEKUN: é considerado o primeiro Anjo seguidor de Lúcifer, que ficou responsável por seduzir e desencaminhar os demais Anjos. Extremamente inteligente, quando expulso do Céu, ensinou aos homens a linguagens de sinais, a ler e a escrever.

KESABEL: foi o segundo Anjo que seguiu Lúcifer. Por acreditar que os homens eram inferiores, foi o primeiro a incentivar os Anjos a terem relações sexuais com os seres humanos.

GADREL: foi o terceiro Anjo que Lúcifer influenciou, responsável por ensinar os demais sobre a morte, além de ensinar a manusear espadas contra os outros.

PENEMUE: foi o quarto Anjo desviado, responsável por ensinar os homens a mentir antes do pecado original e convencê-los a vir para a Terra.

KASYADE: foi o último Anjo importante para a queda dos Anjos do céu. Foi ele que ensinou aos homens sobre os espíritos, explicando sobre a vida após a morte e mostrando que eles podiam ser tão importantes quanto Deus. Criou a intriga na cabeça dos humanos.

Vejamos como os Anjos Caídos e Lúcifer são vistos em outras matrizes religiosas:

Anjo Contrário

Observe se uma destas situações já aconteceu com você no seu dia a dia:

- Quantas vezes você já se envolveu em discussões familiares sem sentido?
- Quantas vezes você fez coisas que o deixaram muito irritado repentinamente?
- Quantas vezes você sentiu tristeza, angústia?
- Quantas vezes você se comportou de um jeito estúpido, dizendo palavras de ódio contra uma pessoa querida e que não merecia ouvir aquilo?
- Quantas vezes você desprezou seus familiares com gestos de indiferença, insatisfação, desconfiança?

Depois de alguns minutos, você se arrepende amargamente dos atos que cometeu e não encontra a verdadeira causa de tanta ignorância e estupidez. Fique sabendo que a origem de tudo isso pode ter sido o Anjo Contrário, isto é, o Anjo Oposto, aproveitando-se de um momento seu de total descuido.

Mas como podemos identificar a influência de um Anjo Contrário?

Veja a seguir algumas dicas que podem ajudá-lo a identificar a influência do Anjo Contrário em sua vida. Fique atento às suas atitudes diariamente:

O Anjo Contrário no relacionamento amoroso

- Brigas, discussões constantes com a pessoa amada.
- Atitudes de ciúme exagerado por qualquer motivo.
- Não é parceiro da pessoa amada.
- Costuma esquecer de celebrar as datas importantes.
- Não se cuida bem para sair com a pessoa amada.
- Humilha a pessoa amada diante de outras pessoas.
- Não sabe ouvir a pessoa amada.
- Adia os compromissos sem interesse nenhum pela pessoa amada.
- Não costuma orar, pedir proteção para a pessoa amada.

O Anjo Contrário nos relacionamentos humanos

- Não costuma ajudar as pessoas.
- Não é sincero com os amigos; às vezes tenta enganá-los.
- Apresenta atitudes negativas para com as pessoas.
- Discute muito ou provoca discussões com outras pessoas.
- Sente inveja do sucesso alheio.
- Gosta de prejudicar os outros para levar vantagem.
- Trata os amigos com estupidez, ignorância e arrogância.
- Faz fofocas.

O Anjo Contrário no ambiente de trabalho

- É extremamente egoísta com os colegas de trabalho.
- Nega qualquer tipo de ajuda para os colegas que estão mais sobrecarregados.
- É uma pessoa chata, mal-humorada e antipática.

- Debocha dos erros dos colegas.
- É desonesto e vingativo.
- Não costuma parar em nenhum emprego porque gosta de criar confusões.
- Não tem responsabilidade e comprometimento com o trabalho diariamente.
- Odeia o chefe.
- Odeia a empresa.
- Se sente vítima do emprego.

O Anjo Contrário no ambiente familiar

- É uma pessoa desorganizada em casa.
- Não gosta de conversar com os familiares, fica sempre isolado.
- Costuma invadir a privacidade dos outros.
- Guarda muita mágoa e rancor no coração.
- Provoca discussões, brigas, desunião no ambiente familiar por qualquer motivo.
- Recusa os conselhos dos pais ou das pessoas mais experientes.
- Maltrata os pais, os irmãos, primos, tios, tias etc.
- É uma pessoa preguiçosa, sem vontade de fazer nada.

O Anjo Contrário na sua vida pessoal (alma)

- Não tem fé em Deus.
- É uma pessoa muito orgulhosa, egoísta e vaidosa acima de tudo.
- Não consegue trabalhar nem estudar.
- Sente forte atração por bebidas alcoólicas, cigarros e outras drogas.
- Vicia-se em jogos de azar e perde muito dinheiro nisso.
- Adora fazer escândalos em locais públicos.

- Odeia carinho.
- Ama o escuro e troca a noite pelo dia.

O Anjo Contrário e os signos

Para finalizar, alguns sinais de desequilíbrio emocional e espiritual que mostram que o Anjo Contrário está presente manifestados em cada signo:

Áries: pânico, depressão, muito autoritarismo.

Touro: aumento significativo de peso corporal.

Gêmeos: estimulação de brigas, discussões, fechamento da mente para tudo.

Câncer: vulnerável à magia negra, humor horroroso, muito choro.

Leão: apatia exacerbada, perda do brilho interior e exterior.

Virgem: mentiras, envolvimento com encrencas e muitos encostos.

Libra: falta de amor-próprio.

Escorpião: medo de fazer tudo, muito briguento.

Sagitário: fatalismo religioso, pessimismo.

Capricórnio: ódio, rancor, depressão e muitos encostos.

Aquário: avarento, não honra compromissos, é totalmente do contra.

Peixes: depressão, fanatismo religioso e muitos encostos.

O que fazer para afastar o Anjo Contrário de sua vida?

Para que você recupere a paz interior, seu equilíbrio espiritual, é necessário ter muita fé em Deus, em Jesus Cristo e no Anjo Guardião. Dessa forma, o mal será afastado de sua vida de uma vez por todas.

Observe algumas dicas para que você neutralize a energia negativa do Anjo Contrário:

- Dedique alguns minutos de sua vida já pela manhã a fazer algumas orações.

- Ore os Salmos 9, 90 e 119 por 60 dias para ter paz interior e, na sequência, os Salmos correspondentes ao seu Anjo da Guarda (veja a tabela dos 72 Anjos Cabalísticos neste livro). Jejum de sexo, álcool e carnes (exceto peixe) por 60 dias. Isso fará parte da primeira etapa.
- Após os 60 dias, continue orando e meditando os Salmos por mais 60 dias seguidos. Não precisa mais realizar o jejum, somente as orações. Todo o processo durará 120 dias.
- Acenda, sempre na segunda-feira, uma vela branca com um copo de água do lado direito para seu Anjo da Guarda.
- Mantenha consigo um mineral correspondente ao seu Anjo (veja qual o mineral correspondente na lista de Anjos neste livro, a partir da página 56). Isso trará paz, proteção e harmonia no ambiente. O mineral poderá estar também nos brincos, em sua pulseira, na carteira, na bolsa, sobre sua mesa no ambiente de trabalho.

Anjos Gozadores Cósmicos

São Anjos Caídos que estão por aqui para nos testar o tempo todo. Eles controlam nosso próprio medo, são cruéis, tentadores, estão muito ligados às nossas falhas e obsessões diárias e riem muito de nós. É isso mesmo! São chamados de Gozadores Cósmicos.

Sabe aquilo de que você menos gosta em sua vida? Aquela característica ou algo que você considera falho em você e que o incomoda de verdade? É nesse ponto fraco que eles vão te pegar. Ele entram em nossa mente e, geralmente, dão corda para nossa autopunição. Eles nos atingem quando estamos em nosso estado de orgulho, quando deixamos o ego tomar conta: brincam com nossas convicções profundas e fazem pouco até mesmo das nossas fantasias e dos nossos maiores desejos. É aquele sentimento de impotência, de não ser merecedor, de estar sendo punido por algo e de "merecer" essa punição.

Eles se aproximam de nós quando estamos carrancudos, com medo (uma poderosa energia negativa), com ideias fixas, atitudes maldosas, com preconceitos (de raça, contra a religião de outras pessoas, homofobia, misoginia...), com mágoa e rancor no coração e na alma. Resumindo: com raiva da vida. É aí que esses Anjos Caídos nos atormentam. Eles são cruéis e desprovidos de compaixão.

Diante disso, eles são considerados nossos obsessores e perturbam muito nossa paz e harmonia com tudo e com todos. E essas obsessões ficam cada vez mais graves caso você não afaste de sua vida esses Gozadores Cósmicos.

Como afastar os Anjos Gozadores de sua vida?

A simplicidade é uma das maiores armas contra essas entidades. Basta você estar de bom humor com a vida, sorrir, elevar sua dose de autoestima diariamente. Entenda suas qualidade. Repita-as para si mesmo. Se tiver dúvidas quanto a ser bom em algo ou não, reafirme: "Eu posso, eu vou conseguir". Seja humilde e generoso, tente encontrar o lado positivo da vida, cultive o amor e o perdão, acredite no Divino. O Divino não pune você: ele quer o seu bem. E não leve tudo tão a sério! Seja um espírito de luz e brilhe sempre.

Claro que nem sempre é possível vibrar tão positivamente: problemas no caminho são comuns, e não é possível ser feliz o tempo todo. Mas é aí que precisamos nos cuidar. Se ficar muito tempo sentindo pena de si mesmo, remoendo sentimentos ruins, pensando apenas no que considera "falhas" em você e deixando pessoas e vibrações negativas entrarem em sua vida, lá estarão os

Gozadores Cósmicos. O medo e o stress causados por esse sentimento tão comum nos paralisa e abre caminho para eles.

É extremamente importante mantermos o senso de humor, assim podemos nos livrar desses obsessores por conta própria. Você tem essa força interior; basta acioná-la para que essas influências não o dominem. E conecte-se com o seu Anjo da Guarda. Com o seu Divino. Quanto mais próximo estiver de seus Anjos, mais distante estará dos Gozadores Cósmicos.

Ore o Salmo 66 todos os dias.

Ritual contra os Anjos Caídos

Você se sente nas trevas, em desespero. A vida está caída. Faça esse ritual contra os Caídos:

- Durante 90 dias, leia o Salmo 66.
- Faça um jejum espiritual sem sexo, álcool ou carne vermelha durante 16 dias.
- Faça o banho a seguir para eliminar os Anjos Caídos.

Ingredientes

– 2 litros de água
– 2 folhas de mamona
– 1 galho de aroeira

Como fazer

Macere nos dois litros de água as folhas de mamona e o galho de aroeira. Coe e jogue do pescoço para baixo, depois de seu banho de higiene.

Quando fazer

Em uma segunda-feira, antes de dormir.

POSFÁCIO

Despeço-me deste livro com muita alegria e satisfação, com a certeza de que ele foi um meio de transformação espiritual para você. E não poderia deixar de escrever aqui algumas dicas para que você possa atrair de fato uma Vida Angelical em sua trajetória existencial. Vamos a elas para fecharmos esta obra com chave de ouro e luz na alma.

- Seja uma pessoa otimista. Nada de se desesperar diante dos desafios da vida: tente enxergar o outro lado da moeda nas situações diárias.
- Cultive sua fé espiritual, dê asas para sua imaginação, acredite mais em você e na magia dos Anjos em sua vida.
- Ouça mais sua intuição, pois ela tem plena conexão com a magia Divina, com a magia celestial dos Anjos. Acredite!
- Fortaleça seus laços espirituais com orações, uma boa meditação e boas leituras para sua alma. Enfim, aproveite tudo que o deixe feliz!
- Use e abuse de sua modéstia, da simplicidade diante da vida. Seja carismático, humilde com as pessoas e, sobretudo, empático.
- Cultive a prática de perdoar as pessoas, afinal o perdão é um dos atos básicos de nossa fé cristã. Perdoando, estaremos com certeza conectados com a luz dos Anjos Celestiais.

- A prática do amor, do carinho, da ternura, de ajudar o próximo não pode faltar em seu dia a dia. Portanto, cultive tudo de bom com as pessoas ao seu redor.
- Amar, amar, amar a si mesmo e as pessoas a sua volta: eis um dos maiores segredos da Conexão Divina e Angelical para nossa vida e para a evolução de nosso espírito. Pense nisso!

Que você tenha uma vida linda, coroada com muito amor e a luz dos Anjos.

Amém.

AGRADECIMENTOS

Agradeço à senhora, vovó Maria, que me ensinou a falar com os Anjos por intermédio desta oração:

"Anjo da Guarda,
Doce companhia,
Não me desampare
Nem de noite nem de dia!
Com Deus me deito, com Deus me levanto!"

São 66 anos dizendo essas palavras assim que abro meus olhos, todos os dias.

Agradeço também ao meu pai e a toda a minha família do céu;

aos meus amados filhos, Fabio e Marcelo. Que os Anjos estejam sempre com vocês;

ao meu editor, Guilherme Samora, pela amizade e parceria;

ao Mauro Palermo, à editora assistente Fernanda Belo e a toda a equipe da Globo Livros;

ao Guilherme Francini, pela linda capa;

a você, que está lendo este livro, que me acompanha na TV, na rádio e nas redes sociais, pelo apoio de tantos anos;

aos Anjos em minha vida.

REFERÊNCIAS BIBLIOGRÁFICAS

Adriano Camargo Monteiro, *A Revolução Luciferiana*, Madras Editora.

Al Garza, *The first Satan:* understanding Satan, devils and demons, Sefer Press Publishing.

Allan Kardec, *A Gênese*, Editora IDE – Instituto de Difusão Espírita.

Alma Daniel, Timothy Wyllie e Andrew Ramer, *Pergunte ao seu Anjo*, Editora Pensamento.

Andrei A. Orlov, *Azazel and Satanael in Early Jewish Demonology*, Sunny Press.

_______________, *Heavenly priesthood in the Apocalypse of Abraham*, Cambridge.

_______________, *Yahoel and Metatron*, Mohor Siebeck.

Anngela Druzian, *Anjos Guardiões e Cabalísticos*.

Apostila do Curso de Anjos do Espaço Luz Interior.

Biba Arruda e Mirna Grzich, *Anjos:* um guia exploratório, Editora Três.

_______________, *Revista Anjos – Tudo que você precisa saber*, n. 17.

Danny de Avalon, *A magia dos Anjos* (Espaço Bruma Magias/ SP).

Dora Van Gelder, *O mundo real das Fadas*.

Dorothy Maclean, A *comunicação com Anjos e Devas*.

Eliphas Levi, *A chave dos grandes mistérios*.

Eliphas Levi, *O Grande Arcano*.
Francia King, *Técnicas da Alta Magia*.
Geoffrey Hodson, *A Fraternidade de Anjos e de homens*.
Huberto Rohden, *Estratégias de Lúcifer*, Editora Alvorada.
Kate A. Reyes, *Demonology and magic ritual texts in the Dead Sea scrolls*, University of Saint Andrews Press.
Keith Thomas, *Religião e declínio da Magia*.
Kurt Seligmann, *História da Magia*.
Lazare Lenain, *La science cabalistique*.
Leo Vinci, *A magia das velas*.
Livro dos Anjos: sabedoria e meditação, Editora Confronto.
Maria Tereza Franchi, *Mundo Angelical*, Berkana Editora.
Michael Salazar. Bantam, *A Luz de Lúcifer*.
Molinero, *Angelatria*.
Monica Buonfiglio, *A Magia dos Anjos Cabalísticos*.
______________, *Enciclopédia dos Anjos*, Folha da Manhã S.A. e Monica Buonfiglio, 1997.
P. V. Piobb, *Formulário de Alta Magia*.
Papus, *A Cabala*.
______________, *ABC do Ocultismo*.
______________, *Tratado elementar de Magia Prática* (adaptação, realização, teoria da Magia), Editora Pensamento.
Pequena Filocalia: o Livro Clássico da Igreja Oriental.
Regina Maria Azevedo, *Revista Anjos*, edição quinzenal n. 1, Coleção Planeta.
______________, Revista Anjos, edição quinzenal n. 2 – As Hierarquias Angélicas, Coleção Planeta.
René de Tryon, *A Cabala e a tradição judaica*.
Rene Guenon, *O Rei do Mundo*.
______________, *Os símbolos da Ciência Sagrada*.
Revista Angeologia Popular.

Revista Anjos da Guarda, Editora Símbolo.
Revista Destino, Editora Globo, 1996 e 1998.
Revista Os Anjos Segundo a Bíblia, n. 1, Editora Escala.
Revista Zodiac, Mensagens dos Anjos.
Ritual de Alta Magia: os Salmos de Davi e suas virtudes.
Rudolf Steiner, *Qual a atividade do Anjo em nosso corpo astral?*
Satan, Devil, demon or myth?, University of Saint Andrews Press.
Stanislas Klossowski, *Alchemy.*
Stellarius, *Oráculo dos Anjos*, Editora Nova Era.
Terry Lynn Taylor, *Anjos Mensageiros da Luz.*
______________, *Anjos, Guardiões da Esperança.*
______________, *Os Anjos Inspiradores da Criatividade.*
Valdomiro Lorenz, *A sorte revelada pelo Horóscopo Cabalístico.*
Vincenzo Belmonte, *The expulsion curse.*

Sites consultados

http://habituaisinteriores.blogspot.com/
http://intervox.nce.ufrj.br/~claraluz/artigos/almas-g.htm
http://magiadobem.blogspot.com/
http://preceserezas.blogspot.com/
http://tudodeom.blogspot.com/
http://www.anjosnet.com.br
http://www.astrocentro.com.br/
http://www.caminhosdeluz.org/
http://www.curaeascensao.com.br/
http://www.eusouluz.iet.pro.br/
http://www.fontedeluz.com/
http://www.lendaviva.com.br/
http://www.magiadourada.com.br/
http://www.magiazen.com.br/
http://www.meuanjo.com.br/

http://www.mistico.com/
http://www.planetaesoterico.com.br/
http://www.portalangels.com/

Outros títulos de Márcia Fernandes na Principium:

Este livro, composto na fonte Fairfield,
foi impresso em papel pólen natural 70g/m², na gráfica Rettec.
São Paulo, fevereiro de 2023.